ÉLETÜNKET MEGOSZTVA

Kurzuskönyv

Egy tanfolyam, amely segít a keresztényeknek megosztani az életüket muszlimokkal

Bert de Ruiter

Az „Életetünket megosztva"
az Onézimusz Alapítvány tulajdona.
http://www.sharinglives.eu

© Bert de Ruiter, 2016

Bibliographic information published by the Deutsche Nationalbibliothek
The Deutsche Nationalbibliothek lists this publication in the Deutsche Nationalbibliografie; detailed bibliographic data are available on the Internet at http://dnb.dnb.de.

ISBN 978-3-95776-204-7 (VTR)
ISBN 978-3-902669-29-2 (OM)

VTR Publications, Gogolstr. 33, 90475 Nürnberg, Germany
http://www.vtr-online.com

The contact details of your local OM office you find at
http://www.om.org

Fordító: Morell-Marosi Kristina
Szaklektor: dr. Szalai András, Apológia Kutatóközpont

A Koránból vett idézeteket – ahol másképpen nem jelöltük –
a Haníf Alapítvány által 2010-ben kiadott, Kiss Zsuzsanna Halima által készített, kommentált fordításból vettük (A Kegyes Korán értelmezése és magyarázata magyar nyelven; Haníf, 2010).

A bibliai idézeteket – ahol másképpen nem jelöltük –
a Magyar Bibliatársulat által 2014-ben kiadott
Revideált Új Fordításból vettük.

BEVEZETÉS

Egész Európában keresztény és muszlim közösségek élnek szoros közelségben egymás mellett, emberek mennek el egymás mellett az utcán, állnak egymás mellett buszra várva, vagy ugyanabban a lépcsőházban laknak, ugyanabba az osztályba járnak, vagy ugyanabban a büfében vásárolnak, de alapjában véve idegenek egymás számára.

Mi akadályozza meg a keresztényeket abban, hogy megosszák az életüket a muszlimokkal? Az embereknek nem kell átrepülniük a világ másik végére, hogy találkozzanak egy muszlimmal, csak át kell menniük az utca túlsó oldalára – de mi akadályozza meg őket ebben? Az információhiány? Nem úgy tűnik. Sok jó könyv szól az iszlámról, és sok iskola, szeminárium és tanfolyam szól róla.

Közben az iszlám „forró" téma lett a mai médiában. Sok keresztény beszél azokról a muszlimokról, akik templomokat gyújtanak fel Indonéziában, keresztényeket üldöznek Egyiptomban, repülőgépeket irányítanak épületeknek, és embereket rabolnak el világszerte. Régen ezek az események tőlünk távol történtek. De akkor muszlimok Európában vonatokat robbantottak fel, egy holland tv-producert pedig Amszterdamban megölt egy marokkói. Az is megfigyelhető, hogy a muszlimok vonakodnak alkalmazkodni a „keresztény" Európa jogrendszeréhez, inkább a sajátjukat követelik.

Egy kutatás szerint a legfőbb tényező, ami a keresztényeket meggátolja abban, hogy kapcsolatba lépjenek a muszlimokkal, a félelem. Az *Életünket megosztva* tanfolyamot ezért arra fejlesztettük ki, hogy segítsen a keresztényeknek legyőzni az iszlám és a muszlimok iránti félelem, előítélet és gyanakvás negatív hozzáállását, és megtanuljanak kegyelemmel válaszolni és az életüket megosztani a muszlimokkal.

A tanfolyam nevét az 1 Thesszalonika 2:8-ból vettük, ahol Pál apostol azt írja: „Mivel így vonzódtunk hozzátok, készek voltunk odaadni nektek nemcsak Isten evangéliumát, hanem a saját lelkünket is, mert annyira megszerettünk titeket." Ez a vers a „inkarnációs tanúságtétel" példája,

ÉLETÜNKET MEGOSZTVA   **BEVEZETÉS**

amelyben összekapcsolódik az evangélium és az életünk megosztása másokkal.

Az *Életünket megosztva* kurzus fő tárgya az, hogy segítsünk keresztényeknek átváltoztatni a muszlimok és az iszlám iránti félelemteli hozzáállást a kegyelem hozzáállásává, és hogy bátorítsuk őket a szomszédságban élő muszlimokkal való jelentőségteljes kapcsolatok kifejlesztésére, hogy megoszthassák velük az életüket és Jézus Krisztust. A tanfolyam ezt öt lépésben tervezi megtenni. Mindegyik lépéshez egy lecke kapcsolódik:

1. Az iszlámról és a muszlimokról kialakult képünk;
2. Fejlesszük ki a kegyelem hozzáállását!
3. Értsük meg a muszlimokat!
4. Találkozás muszlimokkal
5. Fejlesszünk hosszú távú kapcsolatokat!

E kézikönyv mellett létezik egy tanári kézikönyv is, és kiegészítő információk, amelyek használhatóak a tanfolyam alatt (pl. PowerPoint diák és film klipek). A www.sharinglives.eu weboldalon még több információt találhattok.

Dr. Bert de Ruiter
Amsterdam, 2014 augusztus

ELSŐ LECKE ÉLETÜNKET MEGOSZTVA

ELSŐ LECKE:
HOGYAN LÁTJUK AZ ISZLÁMOT?

Cél: képessé szeretnénk tenni a résztvevőket arra, hogy az iszlámhoz és a muszlimokhoz fűződő hozzáállásuk a Szentírást tükrözze.

> **Tennivalók**
>
> **Vedd a munkalapot, és válaszold meg a következő kérdéseket:**
>
> **Milyen szavak, képek és gondolatok jutnak az eszedbe, amikor az iszlámra és a muszlimokra gondolsz?**
> **Fejezd be a következő mondatot: „Ha az iszlámról van szó, akkor azt gondolom, hogy 20 éven belül..."**
> **Fejezd be a következő mondatot: „Ha az iszlámról van szó, akkor azt szeretném, hogy..."**
> **Vitassátok meg a kérdésekre adott minden egyes választ!**

1   Isten elhívása

A Mt 28:18-20-ban olvassuk a feltámadt Úr Jézus Krisztus apostolokhoz intézett szavait:

"Nekem adatott minden hatalom mennyen és földön. Menjetek el tehát, tegyetek tanítvánnyá minden népet, megkeresztelve őket az Atyának, a Fiúnak és a Szentléleknek nevében, tanítva őket, hogy megtartsák mindazt, amit én tanítottam nektek; és íme, én veletek vagyok minden napon a világ végezetéig."

Ez a Nagy Parancsolat ma is lényeges. Az Úr Jézus Krisztus ma is tanítványaivá akarja tenni a föld népeit. Ebbe bele kell értenünk az országunkban, városunkban és a szomszédságunkban élő muszlimokat is. Az Egyház Ura hívja az egyház tagjait, hogy tegyenek a tanítványává minden népet. Korokon át arra használta a népét, hogy másokat is magához vonzzon. Néha azonban vonakodó munkásokkal volt dolga, amint azt Jónás életében láthatjuk.

ÉLETÜNKET MEGOSZTVA   ELSŐ LECKE

2 Jónás válasza Isten elhívására

Így szólt az ÚR igéje Jónáshoz, Amittaj fiához: Indulj, menj Ninivébe, a nagy városba, és prédikálj ellene, mert feljutott hozzm gonoszságának híre! El is indult Jónás, de azért, hogy Tarsísba meneküljön az ÚR elől. Elment Jáfóba, talált ott egy hajót, amely Tarsísba készült. Kifizette az útiköltséget, és hajóra szállt, hogy a rajta levőkkel Tarsísba menjen az ÚR elől. (Jón 1:1-3)

Jónás könyvében tanulhatunk Istennek a világ iránt érzett szánalmáról, még Izrael ellenségei iránti szánalmáról is. Isten ismerte Ninive népét, és tudta, hogy mit tettek. Rászolgáltak az ítéletére és bűneik büntetésére. De ahelyett, hogy megbüntette volna őket, adni akart nekik egy lehetőséget a megtérésre, hogy megbocsáthasson nekik. Istennek nagyobb öröme van a megbocsátásban, mint a büntetésben. Gyakran azt látjuk, hogy Isten arra akarja használni a gyermekeit, hogy véghezvigyék az Ő világra vonatkozó tervét. Ebben a történetben azt is megtanuljuk, hogy Isten arra akarja használni Jónást, hogy a Ninivére vonatkozó tervét véghezvigye. Azt is látjuk azonban, hogy Jónás nem akarja ezt a feladatot végrehajtani.

Hogy megérthessük, mit jelentett az, hogy Isten elhívta Jónást, segít, ha egy kicsit többet megtudunk Ninivéről.

a   Az asszír Ninive háttere

Az 1Móz 10:8-11-ben azt olvassuk, hogy Ninivét Nimród építette, aki egy volt az első hatalmas harcosok között a Földön. Jónás idejében Ninive az Asszír Birodalom fővárosa volt. Asszíria a Tigris és az Eufrátesz között terült el, és a Kr. e. 9-7. század között uralta az ókori világot. A birodalom az ókori világ egyik legjobb harci gépezete volt, és a valaha ismert legvérszomjasabb és legkegyetlenebb civilizációk egyike. A terror volt az egyik tényező, amely nagyban hozzájárult az asszír sikerekhez. Tudatos terror-politikájuk valószínűleg a szervezett pszichológiai hadviselés legkorábbi példája. Nem volt szokatlan számukra minden férfit, nőt és gyermeket megölni az elfoglalt városokban. Asszíria a kegyetlenség és a szörnyűség szimbólumává vált. A foglyaikat elevenen

ELSŐ LECKE ÉLETÜNKET MEGOSZTVA

megnyúzták és különféle testrészeket vágtak le azért, hogy az ellenségeikben félelmet ébresszenek.

Az emlékműveikben és történelmi jelentéseikben azzal kérkedtek, hogy milyen magasak voltak az emberi fejekből épült gúlák, amit a legyőzött ellenségeikből építettek, hogyan égettek le városokat, hogyan nyársaltak fel emberi lényeket, hogyan vágtak le kezeket és hogyan nyúztak meg testeket stb. Az ókori Asszíria romjai között fellelt emlékművek egyikén Assurizirpál király (Kr. e. 883-ban kezdett uralkodni) felirata olvasható egy legyőzött városról:

„A férfiakat, fiatalt és időset, bebörtönöztem. Néhánynak levágtam a lábát és a kezét; másoknak levágtam az orrát, fülét és az ajkát; a fiatalok füléből egy halmot készítettem, az idősek fejéből pedig egy tornyot építettem." (Hawlinson: Five Great Monarchies, vol. 2, p. 85.)

Az asszír politika az volt, hogy deportálták a leigázott népeket más országokba a birodalmon belül annak érdekében, hogy szétrombolják a nacionalista érzéseiket és megtörjék a büszkeségüket vagy lázadásra való reményüket, és a helyükre idegenek hozzanak messziről. Ezt tették Izrael északi részével Kr. e. 722-ben. A 2Kir 17:24-ben olvassuk: „Asszíria királya azután másokat hozott Bábelből, Kútából, Avvából, Hamátból, Szefarvajimból, és letelepítette őket Samária városaiba, Izrael fiai helyébe." Ezeket az embereket hívták szamaritánusoknak.

A Náh 3:1-4-ben – egy Jónás után 150 évvel levő beszámolóban a következő leírást olvassuk Ninivéről: „Jaj a vérontó városnak! Az egész csupa hazugság, rablással van tele, nincs vége a zsákmányszerzésnek." Beszél a város varázslásairól és boszorkányságairól is. Az asszírok pogány imádását több ószövetségi próféta is hevesen elítélte (Ézs 10:5, Ez 16:28, Hós 8:9).

Ezzel a háttérrel nem nehéz megérteni, hogy a legtöbb ember Izraelben az asszírokra mélyen ülő gyűlölettel, gyanakvással és félelemmel tekintett. Azt is elkezdjük megérteni, hogy Jónás miért vonakodott elindulni ezekhez az emberekhez.

ÉLETÜNKET MEGOSZTVA   ELSŐ LECKE

> Vitassátok meg:
>
> Próbáld magad Jónás helyébe képzelni! Te hogyan válaszoltál volna Isten hívására?
> Még mindig szenvedünk a „Jónás szindrómá"-tól? Ha igen, ez miben nyilvánul meg?

3   Iszlám: a mi Ninivénk?

A félelmetes asszír birodalom nem létezik többé. Ninive híres városa csak egy kis falu a mai Irak területén. Más hatalmak, városok és emberek vették át a helyét. Sok európai keresztény kortárs „Ninivé"-je az iszlám. Látják a szélsőséges muszlimok agresszióját, hallják muszlim vallási vezetők kijelentéseit, amelyek félelemmel töltik el őket, és gyanakvással tekintenek arra a sok muszlimra, akik az ő országukba jöttek élni. Az egyik legnagyobb akadály, amiért keresztények nem tudják megosztani az életüket muszlimokkal, a saját hozzáállásuk. Sok európai kereszténynek az iszlámhoz és a muszlimokhoz való hozzáállása a félelem, az előítélet és a gyanakvás.

4   Hogyan bánjunk az iszlámmal kapcsolatos félelmeinkkel?

A félelem az emberi természetünk természetes eleme és ösztöne. A félelem érzését Isten teremtette. A félelem figyelmeztető fényként funkcionálhat, amikor veszély van a láthatáron. Az egészséges félelem megvéd bennünket a valós veszélytől. Nem minden félelem bűnös, pl. Jézus kifejezte a félelmét a Gecsemáné kertben. Mindazonáltal nem miden észlelt veszély valós.

A „félelem" fogalma angolul *fear*, és mozaikszóként így is definiálható: F.E.A.R. = *False Evidence Appearing Real*, azaz „valóságosnak tűnő hamis bizonyosság".

Minden félelem észlelésen alapszik. Bár azoknak a dolgoknak a nagy része, amiktől félünk, soha nem válik valóra, a hamis bizonyosságok néha

ELSŐ LECKE ÉLETÜNKET MEGOSZTVA

nagyon meggyőzőek! A félelem gyakran eltorzítja a valóságérzésünket. Eltorzítja a problémáink méretét vagy azok erejét, akiket az ellenségeinknek hiszünk, úgy, hogy azok hatalmasnak és legyőzhetetlennek tűnnek. De talán az a legfontosabb, hogy a félelem eltorzítja az Istenről alkotott képünket. Isten gyengének, kívülállónak vagy közönyösnek tűnik a problémák kellős közepén.

A veszélyes világtól való jogos félelem és a minket bebörtönző, Istent is sértő félelem közötti különbség arról szól, hogy *kitől* vagy *mitől* félünk, és hogy ez a félelem hova vezet minket. Arra indít, hogy megvédjük magunkat, vagy hogy Istenhez, a Védelmezőnkhöz fussunk? A Példabeszédek 29,25-ben ez áll: Az emberektől való rettegés csapdába ejt, de aki az ÚRban bízik, az oltalmat talál.

A félelem a Sátán eszköze is lehet, aki a félelem ösztönét arra használja, hogy megakadályozza, hogy azzá váljunk, és azt tegyük, ami Isten akar. Az a parancsolat, hogy „Ne félj!" a leggyakrabban ismételt parancs az egész Szentírásban. Ez azt mutatja, hogy a félelem és az aggodalom nem csak az átlagos emberi állapot része, hanem olyan érzés vagy az életre adott reakció, amely a legkevésbé jogos Krisztus követője számára.

Dávid gyönyörűen leírja ezt a paradoxont, amikor azt írja: „Ha félek is, benned bízom,! Istenben, akinek igéjét dicsérem, Istenben bízom, nem félek, ember mit árthat nekem?!" (Zsolt 56:4-5)

Félelmünk legyőzésének egyik módja többet megtudni arról, ami a félelmünket okozza. Tanfolyamunk témájára alkalmazva: ahhoz, hogy leküzdjük az iszlámtól való félelmünket, jó, ha többet megtanulunk arról, hogyan gyakorolják a muszlimok a hitüket, hogyan magyarázzák a Koránt, és hogyan fejlődik az iszlám Európában. Ezt ennek a tanfolyamnak a 3. leckéjében részletesen is át fogjuk tekinteni.

Egy másik fontos lépés a félelmünk leküzdésében, ha azt komolyan vesszük:

„Ha a látásunkat elhomályosítja a félelem, hogyan szerezhetjük vissza a tájékozódási képességünket? Hogyan nyerhetjük vissza a realitásérzékünket, amikor a fenyegetés olyan valóságosnak és a veszélyek

ÉLETÜNKET MEGOSZTVA ELSŐ LECKE

olyan jelenvalónak tűnnek? A válasz összesűríthető abban, hogy a félelmet át kell érezni. Ha kerülöd a félelmedet, az sötétté és rombolóvá válik. Ehelyett hagyd, hogy becserkésszen téged, anélkül, hogy elhessegetnéd magadtól azzal, hogy kegyes közhelyeket ismételgetsz vagy eltérítet magad azzal, hogy lefoglalod magad. A félelemmel való szembenézés leleplezi a szívünket. A félelem a leleplezés révén világossá teszi, hogy kit (és mit) szolgálunk. Két fajtája létezik: a világ félelme és Isten félelme."[1]

Félelmeink többsége abból származik, hogy bizonyos fokú örömöt, tiszteletet, értelmet, biztonságot és az élvezetet keresünk egy olyan világban, amely gyakran nyújt fájdalmat, szégyent, káoszt és szomorúságot. A „világ félelme" csak más név az attól való félelmünkre, amit az élet – vagy valaki más – tehet velünk.

Az életünkben levő félelemmel való foglalkozás másik módja, ha azt, amitől félünk, egy másik valósággal hasonlítjuk össze. Keresztényként ez a valóság a mi Istenünk, aki a Teremtőnk és Jézus Krisztusban az Atyánk. Az emberektől és a körülményektől való félelmünk legyőzésének egyik módja az, ha még jobban tudatában vagyunk annak, kicsoda Isten.

Ez az Ézs 40-54. egyik olyan üzenete, ami Isten népe történelmének olyan időszakával foglalkozik, amely talán párhuzamba állítható a mi korunkkal.

5 Az Ézsaiás 40-54 háttere

Ézsaiás próféta Izrael népének egyik legsötétebb korszakában élt. Az északi királyságot (10 törzset) Asszíriába deportálták és a déli királyságnak (2 törzsnek) is ugyanezt kellett megtapasztalnia: egy másik világhatalom, a Babiloni Birodalom vitte őket fogságba.

---

[1] Dan. B. Allender & Tremper Longman III. *A lélek sírása, hogyan jelenítik meg az érzelmeink az Istenről szóló legmélyebb kérdéseinket* (Colorado Springs: NavPress, 1994), 99.

ELSŐ LECKE ÉLETÜNKET MEGOSZTVA

Az Ézs 40-54-ben Isten szavát találjuk, amelyet Izrael fiaihoz intézett a történelmük egy nehéz időszakában. Száműzetésben voltak, a templomot és a szent várost pedig lerombolták. Az emberek szét voltak szórva idegen népek között. Más királyok és hatalmak, birodalmak és az isteneik győzték le őket. A múlt dicsőséges napjai elmúltak. Nem volt templom, sem ország, sem identitás. Azt mondták egymásnak: „Elhagyott engem az ÚR, megfeledkezett rólam azén Uram!" (Ézs 49:14).

Dávid és Salamon dicsőséges napjai elmúltak. Izrael nem volt többé független királyság. Azt képzelték, hogy amíg a templom áll Jeruzsálemben, addig biztonságban vannak, de most a templomot lerombolták. Az embereket így írták le: „Ezért lett ez a nép kirabolt és kifosztott, csapdába és verembe estek mindnyájan, és börtönbe vannak zárva. Kirabolták őket, és nem volt szabadító, kifosztották őket, és nem mondta senki: Add vissza!" (Ézs 42:22)

Csalódtak Istenben, és azt hitték, Isten ezt nem látja, nem tud róla, és nem törődik vele. Fokozatosan arra a meggyőződésre jutottak, hogy Isten ez ellen semmit sem képes tenni. Már semmit sem vártak Istentől. A régi időkről szóló énekeiket már nem énekelték. Az egyetlen ének, amit énekeltek egy szomorú ének volt. A 137. zsoltár fejezi ki ezeket az érzéseket:

„Amikor Babilon folyói mellett laktunk, sírtunk, ha a Sionra gondoltunk. Az ott levő fűzfákra akasztottuk hárfáinkat. Mert akik elhurcoltak minket, énekszót követeltek tőlünk, és akik sanyargattak, öröméneket: Énekeljetek nekünk a Sion-énekekből! Hogyan énekelhetnénk éneket az ÚRról idegen földön?" (Zsolt 137,1-4).

A nép meg volt arról győződve, hogy Isten ereje csak az Ígéret Földjének határain belülre korlátozódott. El voltak bátortalanodva, letörtek voltak, és bizonytalanok, és féltek.

Izrael történelmének ebben a sötét időszakában Isten elhívta Ézsaiást, hogy megvigasztalja őket (Ézs 40:1). Miközben ezt tette, rendszeresen mondta nekik: „Ne félj!" (pl. 40:9; 41:10, 13,14; 43:1,5; 44:2,8; 51:7,12; 54:4,14).

Kurzuskönyv ÉLETÜNKET MEGOSZTVA

ÉLETÜNKET MEGOSZTVA   ELSŐ LECKE

Isten segíteni akart népének a félelmük legyőzésében azáltal, hogy Magára mutatott:

„Kiálts, ne félj! Mondd…: Itt van Istenetek!" (40:9).

Isten megvigasztalja félő népét azáltal, hogy többet jelent ki magáról:

„Én, én vagyok a vigasztalótok! Miért félsz a halandótól, az olyan embertől, aki a fű sorsára jut? … Miért rettegsz szüntelen, mindennap…?" (Ézs 51:12-13).

A Bibliának ebből a szakaszából, amely ezekkel a szavakkal kezdődik: *„Vigasztaljátok, vigasztaljátok népemet – így szól Istenetek!"* és azokkal a szavakkal fejeződik be, hogy *„Célt téveszt minden fegyver, amit ellened kovácsoltak, meghazudtolsz minden nyelvet, amely törvénykezni mer veled: ez az öröksége az ÚR szolgáinak, így szolgáltatok nekik igazságot – így szól az ÚR."* (54:17), öt dolgot tanulhatunk meg Istentől, ami különösen segíthet legyőzni az iszlámtól való félelmünket.

A. Isten megígéri, hogy velünk lesz – történjék bármi

„Ne félj, mert én veled vagyok." (Ézs 43:5)

Egy ok, amiért Isten népének nem szabad félnie, bármilyen körülmények közé kerüljünk is, az az, hogy Isten megígérte, hogy velünk lesz. Isten velünk lesz (41:10, 43:5), nem hagy el bennünket (41:17, 42:16) és nem feledkezik el rólunk (44:21, 49:15). De ez nem garancia a problémamentes életre. Próbák és nehézségek jöhetnek, de semmi sem árthat nekünk (Ézs 43:1-2 *„Ne félj, …Ha vizen kelsz át, én veled vagyok!"*). Isten jelenléte megvigasztal bennünket a félelemteli körülmények között.

B. Isten terve érvényesül – történjék bármi

„Előre megmondtam a jövendőt, és régen a meg nem történteket. Ezt mondom: megvalósul tervem, mindent megteszek, ami nekem tetszik. … Alig szóltam, máris elhozom kigondoltam, máris megteszem." (46:10-11).

Istennek az a vágya, hogy megvigasztalja népét és segítsen nekik leküzdeni a félelmüket. Ezért Isten azt akarja, hogy arra fókuszáljunk, kicsoda Ő:

ELSŐ LECKE   ÉLETÜNKET MEGOSZTVA

B.1 Ő a mindenható teremtő

„Én, én vagyok a vigasztalótok! Miért félsz a halandótól, az olyan embertől, aki a fű sorsára jut? Elfekejtetted alkotódat, az Urat, aki az eget kifeszítette, és alapokat vetett a földnek? Miért rettegsz szüntelen, mindennap az elnyomó izzó haragjától, mellyel el akar pusztítani? De hová lesz az elnyomó izzó haragja?!" (51:12-13)

Félelemteli időkben, amikor vihar tombol körülöttünk, amikor az életünk alapjai megrázkódnak, Isten azt akarja, hogy emlékezzünk rá: Ő a mindenható Teremtő. A mi Istenünk az egyedüli teremtője minden dolognak (44:24, 48:13, 51:16). Ő megméri (40:12) a mennyet és a földet, a vizeket és a hegyeket (40:12), az erdőket és az állatokat (40:16); a csillagokat és bolygókat (40:26) és a nemzeteket és szigeteket is (40:15). Uralkodók és minden ember az örökkévaló Istennek, a föld végeinek a Teremtőjének köszönheti a létezését. A Legfőbb Teremtő az, aki levegőt a népének és életet mindenkinek, aki a földön jár. Ő teremtette a mennyet és a földet céllal (45:18). Ő a Legfőbb Teremtő, akinek nincs szüksége senkinek a segítségére sem (40:13-14, 44:24). Bízhatunk a hatalmában, bölcsességében és céljában még akkor is, ha nem értjük azt.

Azok a népek és hatalmak, amelyek nagy benyomást gyakorolnak ránk, és félelmet keltenek bennünk, olyanok, mint csepp a vödörben (40:15), a szöcskék (40:22) vagy az agyag (45:9) a Mindenható Teremtő kezeiben.

B.2 Ő az egész föld Bírája

„Hallgassatok rám, szigetek! Újuljon meg a nemzetek ereje! Jöjjenek ide, azután beszéljenek, szálljunk perbe egymással!" (41:1)

Isten arra hívja a nemzeteket és a bálványaikat, hogy adják elő az esetüket és az érveiket (41:19-25) és hogy hozzák a tanúikat (43:9-21), és gyűljenek össze (45:20). Ézsaiás olyan képet fest nekünk igazságos Istenünkről, aki hív minden nemzetet és népet, hogy övezzék fel az erejüket, és jöjjenek elé ítéletre. Arra hív minden nemzetet, hogy adjanak számot az életükről, a vallásukról és a gondolataikról. Isten tárgyalótermébe jönnek. Ő mindenki bírája, és amikor eljön az ideje, ítéletet fog mondani mindenkiről.

ÉLETÜNKET MEGOSZTVA   ELSŐ LECKE

Isten elkötelezett az igazság mellett. Az Ő igazsága napvilágra fog jutni minden nemzetnek (51:5), a karja igazságot fog hozni a nemzeteknek (51:5) és az Ő igazságossága soha nem fog elbukni (51:6). Még ha úgy is tűnik, hogy most az igazságtalanság uralkodik, Isten, az egész föld Bírája minden dolgot helyre fog tenni a maga idejében, és eljön az idő, amikor minden térd meghajol előtte és minden nyelv megvallja, hogy Ő az Úr (45:23). A bizonyosság Isten végítéletéről képessé tesz bennünket arra, hogy visszatartsuk magunkat attól, hogy a dolgokat a saját kezünkbe vegyük.

B.3   Ő az urak Ura

„Ki indította el napkeletről azt, akinek lépteit győzelem kíséri? Ki adja hatalmába a népeket, hogy királyokat tiporjon le? Porrá zúzza őket fegyvere, íja előtt szétszóródnak, mint a pelyva." (41:2)

Isten megalázza és semmivé teszi a hercegeket és uralkodókat, akik annyira impresszívnek néznek ki és jelenleg oly sok fájdalmat okoznak (40:23). Arra használja a politikai vezetőket, akik azt gondolják: saját tervüket viszik véghez, pedig általuk saját örökkévaló céljait valósítja meg (41:25, 44:28, 45:1-13).

A szövegrészek Ézsaiásban elsősorban Círusra, a perzsa királyra utalnak, akit Isten a „pásztorom"-nak hív, aki mindazt meg fogja valósítani, ami Istennek tetszik (44:28), illetve „felkentem"-nek (45:1). Olyan képet festenek Istenről, mint aki felserkent egy királyt, győzelemre vezeti, és népeket szolgáltat ki neki. Isten a történelem urainak az Ura. Ő ellenőrzi az emberek és népek dolgait a saját céljai érdekében. Isten vet véget e világ gonosz hatalmainak (pl. Babilonnak Ézsaiás idejében); annak a ténynek az ellenére, hogy ők azt gondolják, hatalmuk örökké fog tartani (47:7). Isten az Ő szuverenitásában idegen népeket használt arra, hogy megfenyítse Izraelt (47:6).

B.4   Ő az Első és az Utolsó

„Ki tette és vitte végbe ezt? Aki elhívja eleitől fogva a nemzetségeket: én, az Úr, az első és az utolsókkal is az vagyok én!" (41:4 Károli)

ELSŐ LECKE　　　　　　　ÉLETÜNKET MEGOSZTVA　　

Isten ellenőrzése alatt tartja az emberi események folyamát. Isten az első – Ő az abszolút valóság minden realitás előtt és amitől más realitások függnek. Ő a meg nem teremtett első. Ő örökkévaló (40:28). És Ő ott lesz az utolsóval is, amikor minden beteljesedik az Ő örökkévaló célja szerint. Ő ismeri a véget a kezdetektől fogva (44:7, 46:10, 48:3). Ő ismeri a jövőt (45:11).

Az emberi történelem nem csupán irányítatlan események véletlenszerű, jelentés nélküli kombinációja, hanem létezik egy Isten a mennyben, aki irányítja az emberi eseményeket egy végső döntéshez és beteljesedéshez. Ez azt jelenti, hogy Istennek feltétlenül *van* terve az emberiség történelmére, és Ő irányítja az emberi események útját az általa tervezett beteljesedéshez. Ha Isten mindkettő: első és utolsó, akkor neki hatalma van minden közbeeső dolgon is, és Ő irányítja az emberi történelem egészét, még a mi egyéni életünket is.

A tény, hogy Isten magát az Elsőnek és az Utolsónak hívja, utal arra a tényre is, hogy Ő az egyetlen valós hatalom. A Végső valóság, az Egyetlen Megváltó: *Én, én vagyok az Úr, rajtam kívül nincsen szabadító.* (43:11, de 44:8, 44:24, 45:5-6,18,21-22 és 46:9-10 is). Jézus is magára veszi az Első és az Utolsó címet a Jelenések 1:17-ben és 22:13-ban.

Vitassátok meg:

- Isten a történelem szuverén Ura. Mit tanít ez nekünk az iszlám megalapításáról a Kr. u. 7. században?
- Isten szuverenitásának a fényében hogyan kellene olyan emberekre néznünk, mint szélsőséges muszlimok, vagy olyan csoportokra, mint a tálibok vagy az Al-Qaida? Isten használhatja ezeket az embereket és csoportokat, hogy véghezvigye a célját? Ha igen, akkor milyen célok lehetnek ezek?
- Mi lehet a kapcsolat Isten szuverenitása és a között, hogy muszlimok milliói érkeznek Európába? Miközben ezt megvitatjátok, nézzétek meg, mit mondott Pál apostol: „Az egész emberi nemzetséget egy vérből teremtette, hogy lakjon az egész föld színén,

ÉLETÜNKET MEGOSZTVA   ELSŐ LECKE

meghatározta elrendelt idejüket és lakóhelyük határait, hogy keressék istent, hátha kitapinthatják és megtalálhatják, hiszen nincs messze egyikünktől sem..." (ApCsel 17:26-27.)

C   Isten elkötelezett a népe iránt – történjék bármi

„De te, szolgám, Izráel, Jákób, akit kiválasztottam, barátomnak, Ábrahámnak utóda! A föld végén ragadtalak meg, annak legszéléről hívtalak el. Ezt mondtam neked: Szolgám vagy! Kiválasztottalak, nem vetlek el téged!" (41:8,9)

„Ne félj, mert megváltottalak, neveden szólítottalak, enyém vagy!" (43:1)

Abban a korban, amikor Ézsaiás élt és szolgált, Isten népe azt gondolta, hogy mindennek vége van. Más hatalmak erősebbnek tűntek, az ő jövőjük pedig összetörni látszott. A mi időnkben sok európai keresztény fél, hogy az egyház Európában eltűnik, és az iszlám veszi át a vezetést. Látnak templomokat mecsetté válni, és a kereszténység befolyását csökkenni a társadalomban. E háttér ellen Ézsaiás szavai még mindig relevánsak. Ézsaiás kifejti Isten népének – és közvetetten az európai, 21. századi keresztényeknek –, hogy ők drágák Isten szemében (43:4); Isten markába vannak metszve (49:16); Isten nem szégyelli önmagát Istenüknek (40:1; 43:3), Megváltójuknak (43:3), Szabadítójuknak (43:14) és Királyuknak (43:15) hívni. A hírnevét hozzájuk kötötte (48:11; 43:7). A veszély idejében megvédi őket (43:2; 54:17); pásztorként vezeti őket (40:11); felajánlja nekik a segítségét (40:13,14); megerősíti őket (41:10), megvigasztalja őket (40:1; 51:12); fényes jövőt ígér nekik (42:14-16; 43:5,6).

D   Isten célja a szolgái számára a kereszt – történjék bármi

Istennek azon ígérete, hogy velünk lesz, a szuverenitása és az irántunk való elköteleződése még nem jelenti azt, hogy a népe nem tapasztalhat meg nehéz időket, üldöztetést és szenvedést. Ellenkezőleg: Ézsaiásnak ebben részében megtanuljuk, hogy a szenvedés elválaszthatatlan Isten

ELSŐ LECKE ÉLETÜNKET MEGOSZTVA

örök céljainak a beteljesedésétől. Ezekben az ézsaiási részekben négy „Szolga ének"-et találunk (42:1-9, 49:1-6, 50:4-9, 52:13-53:12). Mindegyik rész a Szolga alakjáról szól, akinek az Úr küldetést adott. Az Izrael és az egész világ nevében elvégzendő Isten nagyszerű munkája, amiről Ézsaiás beszél, az Ő alakján keresztül lesz végrehajtva. A Szolga jellemét és szolgálatát Jézus töltötte be. Az Úr Szolgája úgy jelenik meg, mint az a személy, aki a fogságból való visszatérést meghozza, ami nem csak egy földrajzi, hanem lelki visszatérést is jelent. Ez az a Szolga, akin keresztül Isten céljai megvalósulnak. Nem jelentéktelen, hogy a Szolga négy énekéből három a szenvedésről szól. A másodikban (49:4,7) és a harmadikban (50:6) nem, de a negyedikben a szenvedés már kiemelkedő szerepet játszik. Hogy ha az Úr Szolgája nem tudta elkerülni a szenvedést a dicsőséghez vezető úton, Isten céljának megvalósításában, akkor úgy tűnik, hogy a fájdalom, szenvedés, üldöztetés a Jézus-követés normális része. Ez az önmagát odaadó jézusi szeretet modell a muszlimokkal való kapcsolatunkra nézve.

6 Az Úr félelme legyőzi a félelmet

„Aki köztetek féli az Urat, hallgasson szolgája szavára! Aki sötétségben jár, és nem ragyog rá fény, bízzon az ÚR nevében, és támaszkodjon Istenére!" (Ézs 50:10)

A Biblia ezen részében Isten úgy vigasztalja népét, hogy saját magára mutat, és több mint tízszer mondja: „Ne félj!". Arra bátorít, hogy ne féljünk emberektől, uralkodóktól, helyzetektől, a jövőnktől vagy amikor igazságtalanság történik velünk. De a félelemre is találunk bátorítást, mégpedig az Úr félelmére. A nagy félelmek kiűzik a kicsiket. Isten az Egyetlen, akit leginkább félnünk kell. Az „Isten félelme" kifejezés a tisztelet, bizalom, alárendelés és engedelmesség hozzáállására utal. Istent félni azt jelenti, hogy felemésztődsz a jelenlétében.

„Ha megzavarjuk magunkat azzal, hogy kevésbé féljük Istent, mint valami mást, bajba kerülünk. Ha valami mástól félünk, elfelejtjük Istent félni. ... Isten jelenlétében minden emberi félelem eltűnik, mint ahogy a füst eloszlik a szélben. ... Isten félelme nem messzebb visz Istentől,

ÉLETÜNKET MEGOSZTVA ELSŐ LECKE

hanem inkább közelebb hozzá. Az történik, hogy amikor az Isten félelme legyőzi a világtól való félelmet, valóban és eredményesen meg tudunk birkózni az evilági félelmekkel .[2]

Minél jobban féljük az Urat, annál kevésbé félünk emberektől és körülményektől. Az Úr félelme segít legyőzni az emberektől való félelmet, ahogy arra Dávid is rámutat a 112. Zsoltárban: „Boldog ember az, aki az Urat féli... Nem fél a rossz hírtől, erős a szíve, bízik az ÚRban." (Zsolt 112:1,7)

HÁZI FELADAT

Ennek a leckének a legfőbb házi feladata, ami segít felkészülni a következőre: az IMA. Főleg a változásért való ima. Változásért az iszlámban, és változásért a mi szívünkben a muszlimokkal való kapcsolatunkban. Bátorítunk, hogy imádkozz naponta a muszlimokért! Ezek lehetnek a hírekben szereplő muszlimok, vagy olyan emberek, akikről hallottál vagy akiket személyesen ismersz. Kérd Istent, hogy tegye őket a tanítványaivá!

1. Vizsgáld meg az életedet! Kérd Istent, hogy mutasson rá elrejtett területekre! Vannak olyan területek, ahol az emberektől való félelem nagyobb, mint az Istenfélelem? Hogyan tudod alkalmazni az Ézsaiás 40-55 között lévő tanulságokat ezekre a helyzetekre?
2. Arra is bátorítunk, hogy az imád ideje alatt vizsgáld meg az iszlámhoz és a muszlimokhoz való hozzáállásod! Hogy ezt a lehető leggyakorlatiasabbá tegyük, javasoljuk, hogy vedd azt a papírt, amit a lecke elején használtál, amelyre leírtad az iszlámmal és muszlimokkal kapcsolatos gondolatokat, képeket, és hogy mit gondolsz arról, milyen lesz az iszlám a következő 20 évben!

---

[2] Allender and Tremper Longman III. 102, 103.

ELSŐ LECKE   ÉLETÜNKET MEGOSZTVA

> Használd ennek a papírnak a tartalmát az imád során a következő leckéig és olvasd el a következő zsoltárokat is:
>
> 1. nap: 137. zsoltár
> 2. nap: 109. zsoltár
> 3. nap: 55. zsoltár
> 4. nap: 69. zsoltár
> 5. nap: 56. zsoltár
> 6. nap: 27. zsoltár
> 7. nap: 91. zsoltár
>
> *Mindegyik zsoltár után tedd fel magadnak a kérdést: Milyen leckét tudok magamra alkalmazni ebből a zsoltárból a muszlimokhoz és az iszlámhoz fűződő hozzáállásomat illetően?*

A fenti zsoltárok közül némelyik az ún. „átkozódó zsoltárok" közé tartozik, amelyben a szerző arra kéri Istent: büntesse meg az ellenségeit! Sok keresztény nehéznek találja, hogy ezeket a zsoltárokat összhangba hozza Isten szeretetével és Istennek arra vonatkozó parancsolatával, hogy szeressük az ellenségeinket. Nincs azonban itt semmiféle ellentmondás. Ha ezeket a zsoltárokat imádkozzuk, azzal elismerjük a Róm 12:19-21 igazságát (amely az 5Móz 32:35-öt idézi), nevezetesen „Ne álljatok önmagatokért bosszút, szeretteim, hanem adjatok helyet az ő haragjának, mert meg van írva: 'Enyém a bosszúállás, és megfizetek – így szól az Úr.' Sőt, 'ha éhezik ellenséged, adj ennie, ha szomjazik, adj innia; mert ha ezt teszed, parazsat gyűjtesz a fejére.' Ne győzzön le téged a rossz, hanem te győzd le a jóval a rosszat."

Ezek a zsoltárok azt tanítják nekünk, hogy a mennyei Atyánkkal való kapcsolatunkban helye van az érzéseknek, még a negatív érzéseknek is. Amikor a haragunkat, félelmünket, aggodalmunkat és előítéletünket visszük a szerető, kegyelmes, szent és igazságos Isten elé, a negatív érzéseink megnyugodhatnak az Ő jelenlétében, és Ő megtaníthatja nekünk, hogy mit jelent kegyelmesnek és megbocsátónak lenni, mint amilyen Ő is.

137. Zsoltár

Ez a zsoltár Isten népének poszt-traumás érzéseit fejezi ki, ahogy elhurcolták őket Babilonba. Szörnyű erőszakot tapasztaltak meg, elvitték őket az otthonaikból és arra kényszerítették őket, hogy idegen uralom alatt éljenek. Tele vannak szomorúsággal és kétségbeeséssel. Tudni szeretnék, hogy Isten mit fog tenni mindezzel. Igazságot és megtorlást akarnak. „Ha az ember ki meri fejezni a bosszúvágyát aznnak az Istennek az imádata közben, aki maga a szeretet, arra a fájdalmas felismerásre juthat, hogy bármely kisbaba fejének a sziklához csapása elviselhetetlen lenne."[3]

109. Zsoltár

Ebben a zsoltárban Dávid hangját figyelhetjük, aki nagyon mérges volt az igazságtalan támadás miatt. Mérges volt. Bosszút akart – olyan fizetséget, amely kiterjed annak az embernek az egész családjára, aki neki kárt okozott. Arra vágyott, hogy kárt lásson visszatérni arra, akinek a támadása neki gyötrelmet okozott. Gondolkozz el azon, hol van a harag helye egy keresztény életében!

55. Zsoltár

Ebben a zsoltárban Dávid nagy aggodalmát és félelmét fejezi ki. A veszély, amellyel szembe néz, foglyul ejtette az elméjét olyan kínzó haraggal, hogy másra sem tudott gondolni. Egy közeli barátja megsértette Dávid bizalmát és nagy fájdalmat okozott neki. Dávidnak az a vágya, hogy messze elmeneküljön a veszélytől. De a zsoltár utolsó része szerint nem a pusztaságba menekül, hanem Istenhez. Dávid tudta, hogy Isten válaszolni fog a félelmeire az Ő isteni jelenlétével.

69. Zsoltár

A zsoltárokban a fájdalom közepén az isteni jósággal találkozhatunk. A 69. Zsoltár jó példát szolgáltat az átmenetre a szenvedésből, félelemből

---

[3] Ida Glaser: 'We Sat Down and Wept' – Biblical Babilon and Israel as Resources for Conflict Situations, *The Round Table*, Vol. 94. No. 382, 641-651, October 2005..

ELSŐ LECKE ÉLETÜNKET MEGOSZTVA

és haragból a dicsőségbe és a nyugalomba. Mivel Dávid szeme a szenvedéseiről Istenre irányul, a végén hirtelen változás következik be a hangulatában – a fájdalom örömmé változik (30-36. vers).

56. Zsoltár

Ez egy másik zsoltár, amelyben Dávid a félelmeit az Úr elé hozza. A zsoltár egy paradoxont fejez ki: „Amikor félek, Istenben bízom... Istenben bízom, nem félek." Te is felismered ezt a paradoxont az életedben?

27. Zsoltár

Ebben a zsoltárban Dávid elismeri, hogy Isten nagyobb, mint az ő félelmetes körülményei. A körülmények lehet, hogy nem változnak, de mindeközben Isten jelenlétében békességünk lehet.

91. Zsoltár

Ez a zsoltár azt tanítja, hogy a veszélyes időkben, amikor nehéz körülmények és gonosz emberek jelentenek számunkra kihívást, elrejtőzhetünk Isten jelenlétében.

ÉLETÜNKET MEGOSZTVA   MÁSODIK LECKE

MÁSODIK LECKE:
HOGYAN FEJLESSZÜK KI A KEGYELEM HOZZÁÁLLÁSÁT

Cél: segítséget nyújtani a résztvevőknek abban, hogy megértsék Isten kegyelmének fontosságát a Bibliában és a saját életükben, különösen az iszlámmal és a muszlimokkal való kapcsolataikban

> **Tennivaló:**
> Beszéljétek meg egymással az 1. lecke házi feladatát/kijelölt feladatát: az imákat és a zsoltárok elolvasását!
> Mit tanultál?

1   Bevezetés

Az első leckében az iszlámhoz és a muszlimokhoz való hozzáállásunkra fókuszáltunk. Amikor a félelem, előítélet, és aggodalom negatív érzését az Úrhoz hozzuk, az helyet készít más hozzáállás növekedésének, nevezetesen a kegyelemnek. Ez ennek a leckének a témája. Isten kegyelmére akarunk figyelni Jónás életében, és arra, hogy a vonakodása hogyan vált a kegyelem forrásává. Segíteni szeretnénk neked abban, hogy növekedj a bibliai kegyelem fontosságának a megértésében, és szeretnénk elmagyarázni, hogy milyen is a kegyelem hozzáállása a muszlimok irányában.

> **Teendő:**
> Vegyél egy darab papírt, és írd le, hogy szerinted mi a „kegyelem" meghatározása!
>
> **Vitassátok meg:**
> C. S.Lewis egyszer azt mondta:
> *„A kereszténység egyedülálló sajátsága a világ vallásai között a kegyelem."* Egyetértesz ezzel? Indokold meg a válaszod!

MÁSODIK LECKE   ÉLETÜNKET MEGOSZTVA

2   Leckék kegyelemből Jónás életében

„Jónás ekkor a hal gyomrában Istenéhez, az Úrhoz imádkozott, és ezt mondta: Nyomorúságomban az Úrhoz kiáltottam, és ő meghallgatott engem. A halál torkából kiáltottam segítségért, és te meghallgattad hangomat." (Jón 2:2-3)

Jónás elfutott az Úr elől, az Ő ítélete alatt volt. Ennek ellenére az Úrhoz kiáltott segítségért. És az Úr kegyelmesen válaszolt neki. Amíg a halban volt, Jónás felismerte, hogy Isten kegyelmétől függ, és felkiáltott: „Az Úré a szabadítás." (2:9). A hal jelképezi Isten kegyelmét Jónás életében. Egy bűnös személynek nincs joga a kegyelemre. Mi, akik jól ismerjük Jónás történetét, gyakran vakok vagyunk Isten kegyelmének és szánalmának a hatáskörére, amit itt látunk. Az Úr azt akarja, hogy a büszkeség és az ítélkezés helyett kegyelmesek legyünk. Azt akarja, hogy olyan szánakozó legyen a szívünk, mint amilyen az Övé. Mindazonáltal Jónás történetében azt tanuljuk, hogy Jónás ezt még nem értette meg.

„Ó Uram, gondoltam én ezt már akkor, amikor még otthon voltam! Azért akartam először Tarsísba menekülni, mert tudtam, hogy te kegyelmes és irgalmas Isten vagy, türelmed hosszú, szereteted nagy, és visszavonhatod még a veszedelmet." (Jón 4:2)

Amit Jónás gyanított, és amiért engedetlen volt Isten hívásának, hogy Ninivébe menjen, valósággá vált: Isten megbocsát Ninive lakóinak, és az ítélet helyett kegyelmet tanúsít irántuk! A könyv 4. részében Istennek Jónás iránti szeretetéről és türelméről tanulunk. Istent nem elégíti ki a puszta engedékenység, amit Jónástól kapott a 3. részben. Isten azt akarta Jónástól, hogy legyen irgalmas azokhoz, akikhez Isten irgalmas. Jónás szíve ugyanis nem változott az 1. részben látott eredeti elhívása óta.

Isten megkérdezi Jónást: Igazad van-e, hogy haragszol? (4,4). Isten arra hívja Jónást, hogy vizsgálja meg magát és a hozzáállását azok iránt az emberek iránt, akikhez Isten elhívta őt. Bár a 4. rész 2. versében Jónás csodálatos teológiai tételt fogalmaz meg, a fejezet hátralévő része meg-

ÉLETÜNKET MEGOSZTVA MÁSODIK LECKE

mutatja, hogy a jó teológia nem szükségszerűen vezet egy olyan gondolkodásmódhoz és hozzáálláshoz, ami azzal (a teológiával) összhangban is van. Ezért Jónást Isten önvizsgálatra szólítja fel. Gondoljátok át: ha van valaki, akinek joga van haragudni a niniveiekre, az Isten, aki gyűlöli a bűnt és az erőszakot. Mégis Ő úgy dönt, hogy kegyelmet és megbocsátást kínál fel bűnösöknek, és erőszakos embereknek. Ezért van benne Isten kérdésébe az is belefoglalva, hogy kicsoda az a Jónás, hogy haragudjon, ha Isten úgy dönt, hogy nem pusztítja el Ninivét? Jónás tudja, hogy a mózesi könyvekben benne van, hogy „Enyém a bosszúállás, én megfizetetek." 5 Móz 32,35). Ez Isten felelőssége, nem Jónásé. Jónás baja az, hogy irányítani akarja Istent.

Mi is Istent játszunk, amikor továbbra is haragszunk olyan emberekre és csoportokra, akiknek Isten már megbocsátott, amikor a megbüntetésük feladatát a saját kezünkbe vesszük a negatív hozzáállásunk, elítélő szavaink, vagy éppen ellenségeskedő, pusztító tetteinken keresztül. Isten előtt járunk, amikor az általunk vélt igazságnak megfelelően követelőzünk. Amikor ezt tesszük, Isten minket is megkérdezhet, Jónáshoz hasonlóan: Ez a te jogod? És az egyetlen helyes válasz erre: Nem Uram, ez a Te jogod, nem az enyém. Nekem nincs jogom haragudni. Azoknak, akik jól járnak Isten irgalma miatt, nincs joguk panaszkodni másokra, akik a kegyelem és irgalom hasonló isteni megnyilvánulásában részesülnek, függetlenül attól, hogy azt mennyire érdemlik meg.

> **Vitassátok meg:**
> Jónásnak nagyon nehezére esett kegyelmet adni. Felismersz ilyesmit magadban? Milyen helyzetekben találod nehéznek, hogy másokat kegyelemmel közelíts meg?

3   A kegyelem leírása

„De Isten kegyelme által vagyok, ami vagyok." (1Kor 15:10.)

Valaki kitalált egy mozaikszót, amelynek kezdőbetűi az angol „kegyelem" (*grace*) szót adják ki: G (*God's*) R (*Riches*) A (*At*) C (*Christ's*) E (*Expense*), azaz kb. „Isten gazdagsága Krisztus költségén".

MÁSODIK LECKE   ÉLETÜNKET MEGOSZTVA

A kegyelem egyik legismertebb rövid meghatározása: „Isten meg nem érdemelt jóindulata". A görög szó a kegyelemre a *kharisz*. Az alapgondolat egyszerűen „meg nem szolgált vagy meg nem érdemelt jóindulat, meg nem érdemelt ajándék; jóindulat vagy áldások ajándékként átadva ingyen, sohasem valamilyen munka ellenértékeként". A „kegyelem" héber eredetije azt jelenti, hogy „lehajolni, előrehajolni". Ebben benne foglaltatik a „lehajló jóindulat" gondolata (Zsolt 18:35). A kegyelem az, amit „Isten tesz az emberiségért a Fián keresztül, amit az emberiség nem tud megfizetni, nem tud rászolgálni, és soha nem fog megérdemelni." A Biblia a kegyelmet úgy írja le, mint dicsőséges (Ef 1:6), bővölködő (ApCsel 4:33), összehasonlíthatatlanul gazdag (Ef 1:7; 2:7), sokféle (sokoldalú, sokszínű 1Pét 4:10) és elégséges (2Kor 12:9). Ha megvizsgáljuk a kegyelem eszméjét a Bibliában, három dolgot fogunk észrevenni:

1   a kegyelem része annak, aki Isten
2   a kegyelem a Biblia összes tanával kapcsolatban áll
3   a kegyelem felfedezhető a keresztények életében

Most röviden ezt a három aspektust fogjuk átnézni.

3. A   A kegyelem része Isten lényének

3.A.1   Isten kegyelmét az egész Bibliában megtaláljuk

Az Újszövetségben az „Isten kegyelme" kifejezés húsz alkalommal fordul elő.[4] Ez a szókapcsolat kifejezi a kegyelem Forrását. Istent „minden kegyelem Istenének" nevezik (1Pét 5:10). aki szuverén módon ül a „kegyelem trónusán" (Zsid 4:16). Isten Lelkét „a kegyelem Lelkének" nevezik (Zsid 10:28-29). Az evangéliumot „Isten kegyelmének evangéliumának" nevezik (ApCsel 20:24). Isten Igéjét „kegyelme igéjé"-nek nevezik (ApCsel 20:32).

---

[4] Luk. 2:40; Csel. 11:23; 13:43; 14:26; 20:24; Róma 5:15; 1. Kor. 1:4; 3:10; 15:10; 2. Kor. 2:12; 6:1; 8:1; 9:14; Gal. 2:21; Kol. 1:6; Tit. 2:11; Zsid. 2:9; 12:15; 1. Pét. 4:10; 5:12.

ÉLETÜNKET MEGOSZTVA   MÁSODIK LECKE

Az isteni kegyelem tana aláhúzza mind az Ó- mind az Újszövetség gondolatát. Mindazáltal az Ószövetség csak azt jelzi előre és arra készít fel, ami a kegyelem teljes kifejeződése és az Újszövetségben válik nyilvánvalóvá. A „kegyelem" szót először az Ószövetség ógörög fordításában (ún. Septuaginta), az 1Móz 6:8-ban találjuk, ahol ezt olvassuk: *„De Noé kegyelmet talált az Úr előtt".* A Biblia utolsó szavainak egyike is a kegyelem: *„Így szól az, aki ezekről bizonyságot tesz: Bizony, hamar eljövök. Ámen. Jöjj, Uram Jézus! Az Úr Jézus Krisztus kegyelme legyen mindnyájatokkal! Ámen."* (Jel 22:20-21)

3.A.2 Jézus Isten kegyelmének végső megnyilvánulása

„Az Ige testté lett, közöttünk lakott, és láttuk az ő dicsőségét, mint az Atya egyszülöttjének dicsőségét, telve kegyelemmel és igazsággal… Mi pedig valamennyien az ő teljességéből kaptunk kegyelmet kegyelemre. Mert a törvény Mózes által adatott, a kegyelem és az igazság Jézus Krisztus által jött el." (Jn 1:14,16-17)

Amikor Pál Titusznak Krisztus első eljöveteléről ír, azt írja, hogy „megjelent Isten üdvözítő kegyelme minden embernek." (Tit 2:11) Isten kegyelme több, mint isteni jellegzetesség: isteni személy, Jézus Krisztus. Jézus Krisztus nem csak megtestesült Isten volt, hanem a megtestesült kegyelem. Ő maga személyesíti meg, és fejezi ki Isten kegyelmét.

3.B A kegyelem a Biblia összes tanával kapcsolatban áll

„Hiszen kegyelemből van üdvösségetek hit által, és ez nem tőletek van: Isten ajándéka; nem cselekedetekért, hogy senki se dicsekedjék." (Ef 2:8-9)

A kegyelem a Biblia középpontja, valójában a keresztény hit legalapvetőbb része. Érinti az igazság minden területét vagy tanát így vagy úgy. A tan minden nézőpontja kapcsolódik a kegyelemhez. Igaznak vagyunk nyilvánítva, ajándékként, Isten kegyelme által (Tit 3:4-8, Róm 3:21-24). Kegyelem által van üdvösségünk (2Tim 1:9, ApCsel 15:8-12). Megbocsátottak nekünk, meg vagyunk mentve és Isten gyermekeként örökbe vagyunk fogadva a kegyelem által (Ef 1:3-8; ApCsel 18:26-28). Kegyelem

MÁSODIK LECKE   ÉLETÜNKET MEGOSZTVA

által hívattunk el és választottak ki minket (2Tim 1:7-10, Gal 1:13-17, Róm 11:5-6). A jövőbeli reményünk és örökkévaló biztonságunk a kegyelmen alapszik (2Thessz 2:15-17, 1Pét 1:13-15, Róm 5:1-2).

A kegyelem sokba kerül. Az első levelében Péter apostol sokat ír a kegyelemről (1:2,10,13; 2:19-20, 3:7, 4:10, 5:10,12), arra emlékezteti az olvasóit, nem veszendő holmin váltattunk meg, ezüst és arany, hanem „a Krisztus drága vérén" (1:19). Milyen egy csodálatos isteni paradoxon – a kegyelem mérhetetlenül drága volt Istennek és mégis feltétel nélkül ingyenes minden embernek. A kegyelem Isten jóindulata ingyen felajánlva, de drágán kifejezve!

Az 1Kor 15:10-ben Pál apostol írja: „De Isten kegyelméből vagyok, ami vagyok, és hozzám való kegyelme nem lett hiábavaló..." Ebben a bizonyságban a kegyelem gyakorlati alkalmazásának kitűnő képét láthatjuk. Isten gyermekének jele az, hogy Isten kegyelme által az, ami.

3.C A kegyelemnek láthatónak és felfedezhetőnek kell lennie az életünkben

„Amikor megérkezett (Barnabás), és látta az Isten kegyelmét, megörült, és bátorította mindnyájukat, hogy szívük szándéka szerint maradjanak meg az Úrban..." (ApCsel 11:23)

Mivel a kegyelem annyira része annak, aki Isten, a kegyelem a megváltásunk alapja, és minden jó ajándék a mennyei Atyánktól származik, normálisnak kellene lennie, hogy a kegyelem központi szerepet töltsön be a keresztények életében, és láthatónak kellene lennie mindabban, amik vagyunk, és amit teszünk. Amikor Barnabás megérkezett Antiókhiába, látta Isten kegyelmét a hívők életében. Az apostolok látták Isten kegyelmét Pálban, és bajtársi jobbjukat nyújtották neki. A kegyelem olyasmi, aminek láthatónak és felfedezhetőnek kell lennie az életünkben. A kegyelmet néha „cselekvő szeretetnek"-nek is nevezik. Mivel Istentől kaptuk, és folyamatosan, minden nap bővölködően kapjuk, átalakítja a lényünket, és vezérli a cselekedeteinket. Mindazonáltal a keresztények nem mindig a kegyelmességükről voltak ismertek.

ÉLETÜNKET MEGOSZTVA MÁSODIK LECKE

„A legtöbb érzelmi probléma két legnagyobb oka az evangéliumi keresztények között annak a kudarca, hogy megértsék, elfogadják és megéljék Isten feltétel nélküli kegyelmét és megbocsátását és annak a kudarca, hogy továbbadják ezt a feltétel nélküli kegyelmet és megbocsátást más embereknek... Mi olvasunk, hallunk és hiszünk a kegyelem egy jó teológiájában. De nem ez a mód az, ahogy élünk. A kegyelem evangéliumának jó híre nem hatotta még át az érzelmeink szintjét."[5]

Ezért jó röviden áttekintenünk, hogy mit tanít a Biblia arról, hogy hogyan néz ki a működő kegyelem az életünkben:

3.C.1 A kegyelem képessé tesz bennünket arra, hogy megváltozott, istenfélő életet éljünk

„Mert megjelent az Isten üdvözítő kegyelme minden embernek; mely arra tanít minket, hogy megtagadván a hitetlenséget és a világi kívánságokat, mértékletesen, igazán és szentül éljünk a jelenvaló világon." (Tit 2:11-12)

Ezekben a versekben és a Tit 3:3-8-ban is Pál világosan beszél a kegyelem tana és a keresztények élete közötti kapcsolatról. Isten kegyelme megváltozott életeket eredményez. A kegyelem megváltást hoz, de nem áll meg itt, hanem erőt ad a hívőnek a naponkénti megszentelődéshez. A kegyelem képessé tesz bennünket arra, hogy más módon éljünk, hogy nemet mondjunk a nem isten szerint való és világi szenvedélyeknek, hogy önmagunkon uralkodó, egyenes és istenfélő életet éljünk, és azt tegyük, ami jó (Tit 3:8). A keresztény tant leghatékonyabban egy keresztény magatartása hirdeti. A hitvallás meghatározza a magatartást. A kegyelem nem arra jogosít fel, hogy úgy cselekedjünk, ahogy az nekünk tetszik, hanem ahogy tennünk kell.

---

[5] David A. Seamands: *Healing for Damaged Emotions* (Scripture Press, Victory Books, USA, 1991), p. 32.

MÁSODIK LECKE   ÉLETÜNKET MEGOSZTVA

3.C.2 A kegyelem megelőzi azt, hogy megkeseredjünk, és szabaddá tesz bennünket a megbocsátásra és a továbblépésre

„Kövessétek mindenki irányában a békességet és a szentséget, amely nélkül senki sem látja meg az Urat: vigyázván arra, hogy az Isten kegyelmétől senki el ne szakadjon; nehogy a keserűségnek bármely gyökere, felnövekedvén, megzavarjon, és ezáltal sokan megfertőztessenek."
(Zsid 12:14-15)

A kegyelem megszabadít bennünket a törvénykező hozzáállástól, amely mindig keserűséget eredményez és sokakat megbánt. A törvénykezés arra fekteti a hangsúlyt, hogy nekünk mit kell tennünk Istenért azelőtt amit Ő tett értünk Jézusban. A kegyelemre van szükségünk az interperszonális kapcsolatainkban, amely türelmességben, megbocsátásban, alárendelésben és abban a szabadságban fejeződik ki, hogy megengedjük Istennek, hogy munkálkodjon abban a személyben. Ez felszabadít bennünket az alól, hogy megpróbáljuk valaki másnak az életében a Szent Lelket játszani. Ha növekedünk a kegyelemben az segít nekünk abban, hogy kevesebb időt és energiát fordítsunk a kritizálásra és a mások választásával való törődésre, toleránsabbak legyünk és kevésbé ítélkezőek.

Ahhoz, hogy a kegyelem emberévé váljunk, képesnek kell lennünk elengedni másokat.

Az elengedés

Az elengedés nem azt jelenti, hogy már nem törődünk a másikkal, hanem azt, hogy nem tudunk helyette cselekedni.

Az elengedés nem azt jelenti, hogy elvágom magam másoktól, hanem annak a felismerését, hogy nem tudom a másikat irányítani.

Az elengedés azt jelenti, hogy a másikat nem én tanítom meg a dolgok természetes következményeire, hanem megengedem, hogy tanuljon belőlük.

ÉLETÜNKET MEGOSZTVA MÁSODIK LECKE

Az elengedés azt jelenti, hogy beismerem az erőtlenségemet, ami azt jelenti, hogy a végeredmény nincs az én kezemben.

Az elengedés nem azt jelenti, hogy a másikat hibáztatom, vagy megpróbálom megváltoztatni, mert csak magamat tudom megváltoztatni.

Az elengedés nem gondoskodás, hanem odafigyelés.

Az elengedés nem a másik megjavítása, hanem támogatása.

Az elengedés nem ítélkezés, hanem megengedni a másiknak, hogy emberi lény legyen.

Az elengedés nem azt jelenti, hogy én rendezek el minden következményt, hanem hogy engedek másokat hatást gyakorolni a saját tetteik következményeire.

Az elengedés nem azt jelenti, hogy oltalmazó vagyok, hanem hogy engedem a másikat szembenézni a valósággal.

Az elengedés nem tagadást jelent, hanem elfogadást.

Az elengedés nem zsémbeskedést, szidalmazást vagy vitatkozást jelent, hanem hogy a saját hibáimat keresem meg, és hogy kijavítom őket.

Az elengedés nem arról szól, hogy mindent a saját vágyaimhoz igazítok, hanem minden napot úgy veszek, ahogy jön.

Az elengedés nem azt jelenti, hogy mindenkit kritizálok és irányítok, hanem hogy megpróbálok azzá válni, aki álmaimban vagyok.

Az elengedés nem a múlton való bánkódás, hanem a jövő felé tartó növekedés és élet.

Az elengedés azt jelenti, hogy kevesebbet félek, és többet szeretek.[6]

---

[6] Charles R. Swindoll, A felébredő kegyelem, (Milton Keynes, UK: World Publishing, 1990), 146, 147.

MÁSODIK LECKE　　　　　　ÉLETÜNKET MEGOSZTVA

3.C.3 A kegyelem arra emlékeztet bennünket, hogy alázatosak maradjunk

"Isten a kevélyeknek ellenáll, az alázatosaknak pedig kegyelmet ad."
(Jak 4:6, 1Pét 5:5, Péld 3:34)

Az alázat egyaránt jelenti a kegyelem állapotát és annak eredményét. Isten kegyelme segít a hívőnek megérteni, hogy a saját erejéből nem képes úgy járni, ahogy Isten akarja, mert végül is ez olyan természetfeletti életmód, amit a Lélek tesz lehetővé, és amihez a kegyelem ad erőt. Teljes, folyamatos és tökéletes függés az Ő elégséges gondoskodásától.

3.C.4 A kegyelem természetfeletti erőt ad nekünk szembenézni nehéz körülményekkel

"De ő ezt mondta nekem: Elég neked az én kegyelmem, mert az én erőm erőtlenség által ér célhoz." *(2Kor 12:9)*

Pál azt írja, hogy elragadtatott a harmadik égig, és tövis adatott a testébe, hogy távol tartsa őt attól, hogy elbízza magát. Pál háromszor kérte az Urat, hogy távolítsa el azt. Válaszként azt mondta az Úr Pálnak, hogy elég neki az Ő kegyelme. Ha az Isten kegyelme elégséges arra, hogy megmentsen bennünket, akkor arra is minden bizonnyal elég, hogy megtartson és megerősítsen bennünket a szenvedés és gyengeség idejében. Isten megengedi, hogy gyengévé váljunk azért, hogy megkaphassuk az Ő erejét.

3.C.5 A kegyelem befolyásolja azt, ahogy beszélünk

"Bölcsen viselkedjetek a kívülállók iránt, a kedvező alkalmakat jól használjátok fel. Beszédetek legyen mindenkor kedves, sóval fűszerezett, hogy így mindenkinek helyesen tudjatok felelni." (Kol 4:5-6)

A *"kedves"* szó az angol fordításban gracious, ami kellemesre, elbájolóra, udvariasra, egészségesre, érzékenyre, kedvesre, megfelelőre, kedvesre, szeretőre és figyelmesre utal. Kegyelmes szavaink visszatükrözik Isten kegyelmét, aki arra használja kegyelmességünket, hogy másokat

ÉLETÜNKET MEGOSZTVA   MÁSODIK LECKE

az ő megváltó kegyelméhez vonzzon. „Mindnyájan egyetértettek vele, és elcsodálkoztak azon, hogy a kegyelem igéit hirdeti..." (Lk 4:22)

3.C.6 A kegyelem lehetővé teszi, hogy odaadjuk magunkat másokért

„Hírt adunk nektek, testvéreim, Istennek arról a kegyelméről, amelyet Makedónia gyülekezeteinek adott..." (2Kor 8:1) „Istennek pedig hatalma van arra, hogy minden kegyelmét kiárassza rátok, hogy mindenütt mindenkor minden szükségessel rendelkezzetek, és bőségetekből jusson minden jócselekedetre." (2Kor 9:8)

A 2Kor 8. és 9. fejezetében Pál a jeruzsálemi szegény keresztények számára a pogányok gyülekezeteiben rendezett gyűjtésről ír. Ezekben a fejezetekben a „kegyelem" (*kharisz*) szót tízszer használja. A kifejezést a keresztény adakozás szinonimájaként használja, ami egyszerűen Isten kegyelmének túlcsordulása az életünkben, és azon keresztül. Ha igazán megértjük, és értékeljük Isten nekünk, bűnösöknek nyújtott kegyelmét, akkor ezt a kegyelmet úgy is ki akarjuk fejezni, hogy megosztunk másokkal dolgokat. Isten kegyelme megnyitja a szívünket és a kezünket, mert nyitott szívhez nem tarozhat zárt kéz. Bár a szöveg anyagi adakozásról szól, úgy gondolom, hogy ezt mindennemű adakozásra (pl. idő, energia, szeretet, törődés és szánalom) alkalmazhatjuk. Isten irántunk való túlcsorduló kegyelme által mi is minden módon nagylelkűek lehetünk másokkal.

Ha megnézzük a Bibliában és a keresztények életében a kegyelem fontosságát, nem szabad, hogy meglepjen bennünket az, hogy a korai gyülekezetben az emberek egymást figyelmeztették a kegyelem fontosságára. A köszöntés „Kegyelem és béke nektek..." nyitó vagy záró áldásként gyakran használt kifejezés volt Pál és Péter leveleiben. (Gal 1:1, Ef 1:1, 2Tim 1:1, 1Pét 1:2).

MÁSODIK LECKE   ÉLETÜNKET MEGOSZTVA

> **Vitassátok meg:**
>
> A tékozló fiú történetében (Lk 15:11-32) Jézus Isten (a példázatbeli „atya") gyermekei iránti kegyelmének csodálatos képét adja nekünk, és azt is megmutatja, hogy milyen nehéz kegyelem által élni. Olvasd el a példázatot és vitassátok meg a következő kérdéseket:
>
> 1. Miben nyilvánul meg az atyának (a) a fiatalabb fia és (b) az idősebb fia felé irányuló kegyelme?
> 2. Miben nyilvánul meg a példázatban az, hogy mindkét fiú nehezen fogadta el a kegyelmet?
> 3. Az idősebb fiú nem volt felkészülve arra, hogy kegyelemben részesítse az öccsét. Érted, hogy miért, és észrevetted már ezt a hozzáállást a saját életedben?

4 Hogyan fejlesszük ki a muszlimok iránti kegyelmes választ?

Láttuk az előzőekben, hogy a kegyelem kapcsolódik ahhoz, aki Isten, és ahhoz, amit Ő tesz, ezért a kegyelemnek a keresztények egyik fő jellemvonásának kell lennie. Most azt, amit a kegyelemről tanultunk, alkalmazzuk az iszlámhoz és a muszlimokhoz való hozzáállásunkban! Az iszlámra és a muszlimokra adott válaszunknak félelem, gyanakvás és előítélet helyett a kegyelemnek kell lennie!

Steve Bell a következőképpen határozza meg a kegyelmes választ:

„...hajlandóság arra, hogy kijavítsuk az elromlott mechanizmust az agyunkban, amely azt okozza, hogy féljünk a másik személyben rejlő ismeretlentől; felkészülés arra, hogy másoknak adjuk a kétely hasznát, és törekvés arra, hogy kitaláljuk, miért viselkednek úgy, ahogy."[7]

---

[7] Steve Bell, *Kegyelem egy muszlimnak? Utazás a félelemtől a hitig*, (Milton Keynes: Authentic Media, 2006), 1. oldal

ÉLETÜNKET MEGOSZTVA MÁSODIK LECKE

A kegyelem-válasz a muszlimok felé a következő hat elemet foglalja magába:

4.1 Alkalmazd az Aranyszabályt!

A Hegyi beszédben Jézus bátorítja a követőit: „Amit csak szeretnétek, hogy az emberek tegyenek veletek, mindenben ugyanúgy tegyetek ti is velük, mert ez a törvény és a próféták." (Mt 7:12)

Engedelmességben ehhez az úgynevezett Aranyszabályhoz az iszlámmal és a muszlimokkal kapcsolatban a következőket kell tennünk:

1) Igazságosan kell megítélnünk az iszlámot.
Amikor értékelnünk kell az iszlámot, akkor ugyanolyan kritériumokat kell használnunk a kritikánk során, mint amilyeneket mi szeretnénk, hogy mások alkalmazzanak ránk. Nem szabad az iszlám legrosszabb részét a kereszténység legjobb részével összehasonlítanunk! Például nem szabad a muszlimok által használt erőszakot Jézus szavaival: azért jöttem, hogy békességet hozzak, vagy Mohamed házasságát a házasság bibliai szemléletével összehasonlítani.

2) Légy tudatában a kereszténység múltbeli hibáinak!
Az egyház történelmében sok erőszakos tettet és más szörnyűséget találunk, amit a kereszténység nevében műveltek. Ha ezeknek a tudatában vagyunk, akkor ez még kegyelmesebbekké tehet bennünket a muszlimok felé, hiszen „üvegházban az ember ne dobáljon kővel".

3) Nézd meg a muszlimok szándékát!
Amikor megnézzük azokat a központi kérdéseket, amelyekben az iszlám eltér a kereszténységtől, megkérdezhetjük önmagunktól, hogy vajon mi volt Mohamed eredeti szándéka, amikor ellentmondott a Bibliának, és hogy mi volt ezzel a szándéka a muszlimok vezetésében. Pl. sok muszlim rámutat, hogy Mohamed szándéka szerint – korához képest – javítani akart a nők helyzetén. Ha az országunkban élő muszlimokról beszélünk, gyakran feltételezzük, hogy tudjuk, mik a szándékaik – ahelyett, hogy megkérdeznénk őket erről.

MÁSODIK LECKE   ÉLETÜNKET MEGOSZTVA

4) Ne alkoss sztereotípiákat!

A sztereotípiák az embereket kategóriákba sorolják, hogy bonyolult helyzeteket a legegyszerűbbre redukálják, de anélkül, hogy megértetnék az egész képet. A sztereotípiák megfosztják az egyéneket a személyességüktől. Óvakodjunk attól, hogy bizonyos véleményeket vagy viselkedéseket minden muszlimnak tulajdonítsunk, bár csak egyes muszlimokra jellemzők!

4.2   Szeressük muszlim felebarátunkat, mint magunkat!

Izrael népe irányelveket kapott arra nézve, hogy hogyan bánjanak a felebarátaikkal, a közöttük élő idegenekkel és az ellenségeikkel. A felebarátaikat szeretniük kellett, mint saját magukat (3Móz 19:18); az idegeneket szeretniük kellett, mint saját magukat (19:34) és Jézus arra bátorítja a követőit, hogy szeressék ellenségeiket (Mt 5:44). Ez, többek között azt jelenti, hogy: nem szabad rosszul bánni velük vagy elnyomni őket, meg kell próbálni megérteni őket (2Móz 22:21, 23:9); kedvesnek kell lenni velük, amikor nehézségben vannak (2Móz 23:4,5); áldani kell őket, nem szabad bosszút állni és jót kell velük tenni (Róm 12:14-21, Péld 25:21-22).

4.3   Ne tegyünk hamis tanúságot muszlim felebarátunkról!

A Tízparancsolat közül az egyik az, hogy ne tegyünk hamis tanúbizonyságot más ember ellen (2Móz 20:16). Ha ezt az iszlámra alkalmazzuk, ez azt jelenti, hogy amikor az iszlámról beszélünk, a tőlünk telhető legjobb módon keressük az igazságot. Néha a félelem arra készteti az embereket, hogy felnagyítsanak bizonyos helyzeteket (pl. a 4Móz 13-ban a tíz kém felnagyította a kánaániakról való észlelését, hogy megakadályozza az izraelieket abban, hogy bemenjenek oda). Lényegében az iszlám az, amit egy muszlim annak tart. Óvatosnak kell lennünk, amikor a Koránt magyarázzuk, vagy amikor verseket ragadunk ki a szövegkörnyezetéből, vagy nem vesszük figyelembe, hogy azt a verset hogyan magyarázzák a muszlim tudósok. Hajlandónak kell lennünk arra, hogy odafigyeljünk a muszlimokra és megtanuljuk a világot az ő szemükkel látni.

ÉLETÜNKET MEGOSZTVA MÁSODIK LECKE

4.4 A willingness to recognize the positive aspects of Islam

Az 1Móz 20:1-18-ban Ábrahám, aki azt gondolta, hogy „nincs senki, aki féli Istent", felfedezi, hogy néhány ember Izrael népén kívül (pl. Abimelek, Gérár királya) igazi tisztelettel volt Isten felé és még arra is képes volt, hogy hallja Istent és válaszoljon Neki egy közvetlen kommunikációban.

A muszlimoknak adott kegyelem-válasz további eleme, hogy hajlandók legyünk felismerni az iszlám, Mohamed, az iszlám civilizáció, történelem és kultúra pozitív aspektusait. Hajlandónak kell lennünk tanulni a muszlimoktól az Istennel való kapcsolatunk érdekében. Keresnünk kell Isten kegyelmének nyomait (visszhangjait) az iszlámban. Értékelnünk kell azt, ami az iszlámot millióinak a szemében vonzó és ésszerű vallássá teszi emberek.

4.5 Legyünk képesek a muszlimokat emberi lényeknek tekinteni!

Isten kegyelme képessé tesz bennünket arra, hogy a muszlimokat emberi lényként kezeljük, akiknek sajátos hitük van, nem pedig egy vallási rendszer képviselőiként. Fontos, hogy a „fátyol" címke mögött meglássuk az anyát, akinek neve is van: Szamira. Hogy távolabb lássunk a „muszlim" szónál és meglássuk Hasszánt, a keményen dolgozó apát. Hogy a „muszlim emigráns" címke mögött meglássuk a fiatal fiút vagy lányt, Hosszaint vagy Khadidzsát, akik nagy reménységgel vannak a jövő felől. Hogy felfedezzük a dühös fundamentalista muszlim mögött a félelmet. Találjuk meg a barátot a muszlimban!

4.6 Ismerjünk fel néhány ígéretet a Bibliában, amelyeket a muszlimokra is alkalmazhatunk!

Az arab világban széles körben elterjedt hagyomány Ismáelről és az ő leszármazottjairól általában az arabokkal, és különösképpen az arab muszlimokkal kapcsolatos. Tony Maalouf szerint az *Arabs in the Shadow of Israel* című könyvében arról ír, hogy „régebbi feljegyzések világosan

MÁSODIK LECKE　　　　　ÉLETÜNKET MEGOSZTVA

összekapcsolják az ókori világ északi arabjait Ismáellel" és „Ismáel az északi arab törzsek nagy jelképévé vált a Kr. u. 1. század tájékán".[8]

Ennek fényében fontos, hogy tudatában legyünk azoknak az ígéreteknek, amit Isten adott Ismáel leszármazottainak. Az 1Móz 17:20-ban Isten megígéri válaszul Ábrahám imájára, hogy megáldja Ismáelt. Izsák (és Izrael) kiválasztása nem jelenti automatikusan Ismáel és leszármazottainak elidegenítését Isten lelki és anyagi gondoskodásától. A Bibliában Isten jóindulattal bánik Hágárral és Ismáellel. Az 1Móz 25:13-18-ban olvashatjuk Ismáel fiainak neveit is (pl. Nebaiót és Kédár).

A Bibliában számos prófétai utalás található az arab törzsekre, Ismáel leszármazottaira:

„Énekeljetek az ÚRnak új éneket, dicséretét a föld határáig, akik tengerre szálltok, és ami a tengert betölti, a szigetek és lakóik! Zengejen a puszta és városai, a falvak, amelyekben **Kédár** lakik. Ujjongjanak a kősziklámn lakók, a hegytetőkön is kiáltozzanak! Dicsőítsék az Urat, hirdessék dicséretét a szigeteken!" (Ézs 42:10-12).

„Ellep a tevék sokasága, Midján és Éfá állatai. Mindnyájan Sábából jönnek, aranyat és tömjént hoznak, és az ÚR dicső tetteit hirdetik. Kédár minden nyáját hozzád terelik, Nebájót kosai szolgálatodra állnak, hogy oltáromra kerüljenek kedves áldozatként... " (Ézs 60:6-7)

Számos korai egyházatya (pl. Justinosz) szerint a bölcsek, akik keletről jöttek, hogy imádják a zsidók királyát, minden valószínűség szerint arabok voltak.

„Az ajándékok, amelyeket a bölcsek adtak a zsidók királyának, kiválóan képviselik a jólét arab forrásait. Krisztus előtt évszázadokig az arabok voltak az arany és a tömjén termelői és kézbesítői. A perzsa királynak 30 tonna fenyőtömjént adtak évenként a hűségük jeleként. Ézs 60:1-7 próféciája előre megmondta a nemzetek gazdagságának átalakulását, főképpen az arabokét, a Messiáshoz Jeruzsálemben az

---

[8] Tony Maalouf: *Arabs in the Shadow of Israel* (Grand Rapids MI, Kregel Publications, 2003), 45.

ÉLETÜNKET MEGOSZTVA MÁSODIK LECKE

Izrael nemzetén való messiási fény hajnalodásakor. Így természetessé válik, hogy arab bölcseket látunk hűségfogadalmat tenni a királyok királyának."[9]

Az arab bölcsek lehetnek az eljövendő aratás gyümölcsei. Isten munkálkodik az arab világban. Muszlimok jutnak hitre Krisztusban világszerte. Isten álmokon és látomásokon keresztül jelenti ki magát nekik. Az egyház növekszik a muszlim világ számos részében.

Ézsaiás próféta *Kús* népe/földje ellen beszél, amelyet modern tudósok az egyik arab törzzsel azonosítanak, amely most valószínűleg Szudán északi részén él. Ézsiás úgy beszél róluk, mint „a szálas, sima arcú néphez, a közelben és távolban rettegett néphez, amelynek hazáját folyók szelik át." (Ézs 18:2). Egy gyönyörű ígérettel fejezi be a próféciáját, nevezetesen, hogy ugyanezek az emberek, akiktől annyira féltek, ajándékot hoznak majd a Mindenhatónak, a Mindenható Úr Nevének a helyéhez:

„Abban az időben ajándékot visz a Seregek URának a szálas, sima arcú nép, a közelben és távolban rettegett nép, ez elsöprő erejű nép, amelynek hazáját folyók szelik át, a Seregek Ura nevének lakhelyére, a Sion hegyére.." (Ézs 18:7)

El tudjuk hinni, hogy azok, akik jelenleg sok szívben félelmet keltenek, pl. szélsőséges muszlimok, olyan emberekké válhatnak, akik a tisztelet ajándékait hozzák a Mindenható Úrnak?

---

[9] Maalouf, 218.

MÁSODIK LECKE   ÉLETÜNKET MEGOSZTVA

Házi feladat

1. Olvasd el a tékozló fiú történetét (Lk 15,11-32) sokszor, mielőtt a következő leckét elkezdenéd. Melyik szereplőben ismersz magadra (atya, fiatalabb testvér, idősebb testvér)? Hogyan adnak és kapnak kegyelmet egyénenként és mimódon kell neked növekedned az atyához hasonlóvá, különösen abban a helyzetben, amikor a megkegyelmezésről van szó?
2. Olvasd el Assisi Szent Ferenc imáját, és a jövő héten tedd a saját imád részévé!

Assisi Szent Ferenc imája

Uram, tégy engem békéd eszközévé,
hogy szeressek ott, ahol gyűlölnek,
hogy megbocsássak ott, ahol megbántanak,
hogy összekössek, ahol széthúzás van,
hogy reménységet keltsek, ahol kétségbeesés kínoz,
hogy fényt gyújtsak, ahol sötétség uralkodik,
hogy örömet hozzak oda, ahol gond tanyázik.

Ó Uram, segíts meg, hogy törekedjem,
nem arra, hogy megvigasztaljanak, hanem hogy én vigasztaljak,
nem arra, hogy megértsenek, hanem arra, hogy én megértsek,
nem arra, hogy szeressenek, hanem hogy én szeressek.

Mert aki így ad, az kapni fog,
aki elveszíti magát, az talál,
aki megbocsát, annak megbocsátanak,
aki meghal, az fölébred az örök életre.

Assisi Szent Ferenc háttere

Assisi Szent Ferenc (1182-1226) olasz katolikus szerzetes és prédikátor volt. Ő alapította a ferences szerzetesrendet. Amikor a keresztesek a

ÉLETÜNKET MEGOSZTVA MÁSODIK LECKE

Közel-Keletre mentek, hogy a muszlimok ellen harcoljanak fegyverekkel, Ferenc több közel-keleti országot is bejárt a kegyelem apostolaként. Többek között hirdette az evangéliumot a szultánnak, a muszlim hadseregek hadvezérének. Steve Bell így írja le Ferencet: „…olyan keresztény, aki egyensúlyt teremt a politikai realizmus és a muszlimok iránti kegyelmes hozzáállás között".[10] Christine A. Mallouhi a *Waging peace on Islam* című könyvében Ferencet olyan példaképnek tekinti, aki mintát ad arra, hogyan kell muszlimokkal kapcsolatot kiépíteni a kölcsönös ellenségeskedés idején.[11] *„Amikor Assisi Szent Ferenc imája megválaszolásra talál rajtunk keresztül, akkor képesnek találjuk magunkat arra, hogy 'mindent elfedezzünk, mindent higgyünk, mindent reméljünk, mindent eltűrjünk' (1Kor 13:7) Ez inkább biblikus, mint emberi reakció a muszlimok iránt."*[12]

---

[10] Steve Bell: *Grace for Muslims?* p. 5.
[11] Ahhoz, hogy többet tanulj Assisi Szent Ferencről és hogy mit tanulhatunk tőle a muszlimokkal való kapcsolatokról, azt ajánlom, hogy olvasd el Christine könyvét! Christine A. Mallouhi: *Waging Peace on Islam* (London, Monarch Books, 2000)
[12] Steve Bell: *Grace for Muslims?* p. 7.

HARMADIK LECKE   ÉLETÜNKET MEGOSZTVA

HARMADIK LECKE:
HOGYAN ÉRTSÜK MEG A MUSZLIMOKAT?

Cél: ismerjük meg az iszlám hit és gyakorlat számos kulcsvonatkozását

1   Bevezetés

Az iszlámot és a muszlimokat illető hozzáállásunk áttekintése után most kezdjünk arról tanulni, hogyan tudjuk megközelíteni a muszlimokat a kegyelem hozzáállásával. Most már jobb helyzetben vagyunk, hogy pontos információkat fogadjunk az iszlámról és a muszlimokról. Az előző leckében megtanultuk, hogy a kegyelem hozzáállásának egyik aspektusa az, ha az iszlámot a muszlimok szemével nézzük. Ezért ennek a leckének a tartalma muszlim forrásokra épül.[13] Ezt e leckét egy imámmal is átnéztük.

2   Jónás az iszlámban[14]

Az előző leckében megnéztük Jónás prófétát bibliai szemszögből. Ebben a leckében azt próbáljuk meg kitalálni, hogy az iszlám mit tanít Jónásról. Az iszlám hagyományok szerint Jónás próféta (arabul *nabí Junusz*) sírját a mai Moszulban, 400 kilométerre északra Bagdadtól Irakban találjuk, az úgynevezett Junusz-mecsetben, ahol a sírt bálnacsonttal díszítettek.

A   Utalások Jónásra a Koránban

Jónás neve és/vagy története megtalálható a Korán következő verseiben: 4:163; 10: 98-100; 21:87-9; 37:138-148; 68: 48- 50.

A 10. szúrában megtaláljuk a nevét. A 21:87-9 Jónást „halember"-nek nevezi és a 68:48-50 szerint ő a „férfi a bálnában".

---

[13] Pl. Iszlám:Egy rövid idegenvezetés, A muszlim nevelési bizalom, Egyesült Királyság
[14] A http://www.angelfire.com/on/ummiby1/jonah.html és a http://etext.virginia.edu/journals/ssr/issues/volume3/number1/ssr03-01-e02.html oldalkról vettük

Legyél hát türelmes Urad döntésével. Ne legyél olyan, mint a Hal Társa, amikor felkiáltott kétségbeesésében. Ha nem borította volna be Ura Kegyelme, bizonyosan egy pusztra partra vettetett volna, és vádolva lett volna. De Ura kiválasztotta őt, és az igazak közül valóvá tette. (68:48-50)

És Dhun-Nún, amikor távozott mérgében, és azt hitte, hogy nem rendelünk el ellene semmit. Aztán felkiáltott a sötétségekben: „Nincs más Isten csak te. Magasztos vagy te! Bizony, én voltam a bűnösök közül való." És Mi válaszoltunk neki, és megmentettük a nehézségből. És így mentjük meg a hívőket. (21:87-88)

És bizony, Jónás a Küldöttek közül való volt. Emlékezz, amikor elmenekült a megterhelt hajón. Aztán sorsot húztak, és ő lett a vesztes. É a hal lenyelte őt, és jogosan illette őt a vád, és ha nem lett volna a magasztalók közül való, bizony a gyomrában maradt volna a Napig, amíg feltámasztatnak. De mi a nyílt partra vetettük őt, és beteg volt, és egy tökindát növesztettünk felette, és százezerhez küldtük el őt, vagy még többhöz. És hívők lettek, ezért élvezeteket adtunk nekik egy darabig. (37:139-148)

Hát miért nem volt egyetlen város sem, amely hitt volna, hogy a hite használhatott volna neki, kivéve Jónás városát? Amikor hittek, eltávolítottuk tőlük a megalázó büntetést az evilági életben, és élvezeteket adtunk nekik még egy ideig. És ha Urad úgy akarná, valamennyien hinnének, mind, akik a földön vannak. Hát úgy gondolod, hogy te kényszerítheted az embereket arra, hogy higgyenek? És egyetlen lélek sem hihet, kivéve Allah engedelmével. És ő tévelygést helyez azokra, akik nem használják eszüket. (10: 98-100)

B   A Jónásról szóló iszlám tanítások összegzése

Ezekre a versekre és néhány iszlám hagyományra (ún. *hadísz*-ra, Mohamed mondásairól és tetteiről szóló beszámolókra) alapozva a következőképpen foglalhatjuk össze a Jónásról szóló tanításokat:

HARMADIK LECKE　　　ÉLETÜNKET MEGOSZTVA

Jónás próféta volt, akit Isten elküldött a saját népéhez Ninivébe. Ninive lakói bálványimádók voltak, és szégyentelen életet éltek. Jónás küldetése az volt, hogy megtanítsa őket Allah imádatára. Az embereknek nem tetszett, hogy Jónás beleavatkozik az istentiszteletükbe, ezért így érveltek. „Mi és az őseink ezeket az isteneket dicsőítettük és semmi baj nem ért minket." Jónás megpróbálta őket meggyőzni a bálványimádás bolondságáról és Allah törvényeinek jóságáról, de nem figyeltek rá. Figyelmeztette őket, hogy ha folytatják ezt a bolondságot, akkor Allah megbünteti őket. Ahelyett, hogy elkezdték volna félni Allahot, azt mondták Jónásnak, hogy nem félnek a büntetésétől. Jónás elkedvetlenült, és elhagyta Ninivét, mivel félt Allah hamarosan bekövetkező haragjától.

Alig hagyta el a várost, amikor az ég színei megváltoztak, és úgy néztek ki, mintha tűzben égnének. Ennek láttára az embereket félelem töltötte el. Visszaemlékeztek az emberek elpusztulására Noé idejében. Összegyűltek a hegyen, és elkezdtek Allahhoz könyörögni a kegyelméért és bocsánatáért. Allah haragja elmúlt, és még egyszer kiöntötte rájuk az áldásait. Amikor a fenyegető vihar elmúlt, imádkoztak Jónás visszatéréséért, hogy vezesse őket.[15] Ezalatt Jónás felszállt egy kis hajóra más utasok társaságában. Egész nap csendes időben vitorláztak. Amikor leszállt az éjszaka, a tenger hirtelen megváltozott. Rettenetes vihar tombolt, ami mintha darabokra akarta volna törni a hajót. A hajó parancsnoka megparancsolta, hogy dobálják ki a hajóról a nehéz rakományt. Kidobálták a csomagjaikat, de ez nem volt elég. A biztonságuk attól függött, hogy tudnak-e még könnyíteni a hajón, így elhatározták maguk között, hogy legalább még egy személyt kidobnak a hajóról. A kapitány azt parancsolta: Sorsot fogunk húzni az utasok neveivel. Azt, akinek a nevét kihúzzuk, bedobjuk a tengerbe. Kihúzták a sorsot, és „Jónás" jelent meg. Mivel tudták, hogy ő a legtiszteletreméltóbb mindannyiuk között, nem akarták bedobni a háborgó tengerbe. Ezért úgy döntöttek, hogy

---

[15] Razi Koránról szóló kommentárja szerint ez a nap az asdzsura napja (böjt napja) volt, amikor Jónás emberei megváltoztak. (A zsidó zsinagógában a böjt napján az Av hónap 9. napján, Tisja Ba'av a délutáni ima alatt felolvasnak a Jónás könyvéből)

még egyszer sorsot húznak. De ismét Jónás nevét húzták ki. Adtak neki még egy utolsó esélyt, és harmadszor is sorsot húztak. Szerencsétlenségére ismét Jónás nevét húzták ki. A kérdést eldöntötték, és úgy határoztak, hogy Jónásnak saját magát kell a tengerbe vetnie. Egy bálna talált rá Jónásra, ahogy az előtte úszott a hullámokon. Lenyelte Jónást a háborgó gyomrába és bezárta a csontfogait felette. A sötétségnek három rétege borította be, egyik a másikon: a bálna gyomrának sötétsége, a tenger fenekének sötétsége és az éjszaka sötétsége. Jónás imádkozott Allahhoz. Allah látta Jónás komoly megtérését, hallotta a könyörgését a bálna gyomrában. A bálna kirakta őt egy távoli szigetre. A teste begyulladt a bálna gyomrában levő savak miatt. Beteg volt, és amikor a nap felkelt, a sugarai úgy égették a begyulladt testét, hogy már azon a határon volt, hogy kiált a fájdalomtól. Mindazonáltal elviselte a fájdalmat és folytatta az Allahhoz való könyörgését. Allah növesztett egy figyelemre méltó hosszúságú szőlőindát fölé, hogy védelmezze. Akkor Allah meggyógyította és megbocsátott neki. Fokozatosan visszanyerte az erejét, és megtalálta az utat az otthona, Ninive felé. Kellemesen meglepődött, amikor észrevette a változást, ami ott végbement. Az egész nép megjelent, hogy üdvözölje őt. Elmondták neki, hogy Allahhoz fordultak és benne hisznek. Közösen hálaadó imádságot mondtak Kegyelmes Uruknak.

C *Jónás a mai muszlimok életében*

Jónás sok mai muszlim számára is olyasvalaki, akivel azonosulnia kell:

a. Egy muszlim hallgató írta az interneten: hogyha valaki át akar menni egy vizsgán vagy hasonló helyzetbe kerül, olvassa el Jónás imáját, amikor a bálnában volt.

b. Két muszlim lány kérdésére, hogy szabad-e elfutnunk otthonról, egy imám az interneten azt válaszolta, hogy az otthonról való elfutás témája megtalálható a Koránban is – Jónásra utalt – és ezt írta: „Junusz próféta megpróbált elmenekülni az 'otthon'-ából (ami az a hely volt, ahova Isten őt elhívta). Büntetésként Allah megetette Junuszt egy bálnával. Junusz 40 napot töltött a bálna

HARMADIK LECKE   ÉLETÜNKET MEGOSZTVA

gyomrában. Allah megbocsátott neki és Junusz kapott egy második életet."

c. Egy imám a szentbeszédében Jónást olyan példaként említi, aki nagy sötétségben is hajlandó volt magát alárendelni (ezt jelenti az „iszlám" szó) Istennek.

> **Vitassátok meg:**
> 1. Mit találsz jelentősnek, amikor összehasonlítod Jónás bibliai elbeszélését azzal, ami a Koránban és az iszlám hagyományokban található?
> 2. Hogyan magyarázod a hasonlóságokat és a különbségeket?

AZ ISZLÁMRÓL DIÓHÉJBAN

1   Az iszlám kezdetei

Annak ellenére, hogy az iszlám, mint független vallás a Kr.u. 7. században jött létre, a muszlimok szerint az iszlám eredete sokkal régebbre megy vissza. A Korán 3:67 szerint „Ábrahám nem volt sem zsidó, sem keresztény, hanem haníf volt, muszlim. És nem tartozott a társítók közé." Az *iszlám* szó azt jelenti: „alárendelés" és *muszlim* az, „aki alárendeli magát" Istennek. Ábrahámot a próféták atyjának tartják és sok arab muszlim hiszi, hogy Ábrahám leszármazottja, annak fia, Ismáel révén. Ismáel nagyon fontos szerepet játszik az iszlám hagyományokban.

2   Mohamed személye

Mohamed vsz. 571-ben született Mekkában, a mai Szaúd-Arábiában. Apja még a születése előtt meghalt, anyja pedig hat éves korában. Amikor Mohamed 25 éves volt, elvette feleségül az özvegy Khadidzsát. A muszlimok szerint Mohamed 40 évesen kezdett el kinyilatkoztatásokat kapni Istentől (Allahtól). Meg volt róla győződve, hogy olyan próféták nyomdokaiban jár, mint Mózes, Dávid és Jézus, és mint az utolsó próféta, arra kapott felkérést, hogy az embereket az egyetlen, igaz Isten tiszteletére hívja. Mekka lakossága régen sok istent imádott. Mohamed hívta őket iszlámra: rendeljék alá magukat az Istennek. Számos ember csatlakozott hozzá, és muszlimokká váltak, mások azonban visszautasították. Követőinek száma fokozatosan nőtt. Kezdetben Mohamed és a követői gyakran néztek szembe a mekkai lakosok ellenállásával. 12 év után (Kr.u. 622) Mohamed és követői átköltöztek Jaszribba, amit később „Mediná"-nak neveztek, mert „A Próféta Városa", *Madinat an-Nabí* nevet kapta. Ez a költözés jelentős hatást gyakorolt az iszlámra. Ez abból a tényből is látható, hogy az iszlám naptár ettől az eseménytől kezdődik. Jaszribban Mohamedet és követőit barátságosan fogadták, és röviddel ezután Mohamed nem csak a a város lelki, hanem politikai vezetője is lett, és megalapította az első muszlim államot. A következő években Mohamed követőinek a száma gyorsan növekedett. Mohamed, akit a Korán úgy ír le, mint „kegyelem a világoknak" (21: 107) és „szép példakép" (33:21), 632-ben halt meg, 63 éves korában. Halála után az általa kapott kinyilatkoztatásokat összefoglalták egy könyvben, a Koránban. Mondásait és példaértékű cselekedeteit kötetekbe gyűjtötték, ezek összefoglaló neve a *szunna*.

3 Az iszlám terjedése

Amikor Mohamed 632-ben meghalt, a muszlimok leginkább a mai Szaúd-Arábia területén éltek, de a következő években az iszlám elterjedt észak felé (Szíria, Jordánia), kelet felé (Irán és Irak) és nyugat felé (Egyiptom, Algéria). Kb. 750-re egész Észak-Afrika és Spanyolország iszlám uralom alatt állt. 1500 körül több terület Afrikában és Ázsiában iszlámmá vált és Indonézia is része lett az iszlám világnak. A 14. században a mai Törökországban megszületett az Oszmán Birodalom. E birodalomnak századokon át nagy hatása volt a Közel-Keletre és Közép-Európára, illetve hozzájárult az iszlám nagymértékű terjedéséhez Közép- és Kelet-Európában (pl. Albánia, Bosznia).

Pillanatnyilag az iszlám 40 országban meghatározó vallás. Az arabok a muszlimok 20%-át teszik ki. Sok muszlimot találunk Indonéziában (196 millió), Pakisztánban (166 millió), Bangladesben (150 millió), Indiában

HARMADIK LECKE ÉLETÜNKET MEGOSZTVA

(150 millió), Nigériában (70 millió), Törökországban (70 millió), és Iránban (68 millió). Európában – a volt Szovjetunió területeit is beleértve – kb. 50 millió muszlim él.

4 Mit hisznek a muszlimok?

Az iszlám hittan többnyire hat hitcikkelyt tartalmaz, nevezetesen: 1. Allah (Isten) 2. angyalok 3. Isten könyvei 4. Isten küldöttei és prófétái 5. az utolsó nap 6. az eleve elrendelés – ötöt ezek közül a Korán 2:177 meg is említ: *"Nem az a jóság, hogy az arcotokat kelet felé vagy nyugat felé fordítjátok. Hanem a jóság legmagasabb foka az, ha valaki hisz Allahban, az Utolsó Napban, az angyalokban, a Könyvben és a prófétákban..."*

Az iszlám három alapvető hittétele: A. *tauhíd* (Isten egyetlen volta) B. *riszála* (prófétaság) C. *ákhira* (halál utáni élet).

a Tauhíd

A *tauhíd* a legfontosabb iszlám hittétel. A muszlimok hiszik, hogy minden, ami létezik, az egyedüli Teremtőtől származik, aki a Fenntartó és a Vezetés egyedüli Forrása. Ennek a hitnek kell kormányoznia az emberi élet minden aspektusát. Ennek az alapvető igazságnak az elismerése az élet egységes szemléletét hozza magával, amely elutasít bármiféle megkülönböztetést vallási és világi között. Isten (Allah) a hatalom egyedüli forrása, akit tisztelnünk, és akinek engedelmeskednünk kell. Nincs „társa", a *tauhíd* abszolút egyistenhit. Allah nem született, nincsen fia, sem lánya. Az emberi lények az ő tárgyai. Ő az Egyedüli, Örök, az Első és az Utolsó, és nincs senki hozzá hasonló. A *tauhíd* elfogadása teljes változást hoz a muszlim életébe. Arra készteti, hogy csak Allah előtt boruljon le, aki minden tettét látja. Azon kell munkálkodnia, hogy Allah törvényeit valósítsa meg élete minden területén, így elnyerve Isten tetszését.

b Riszála

A *riszála* prófétaságot, vagy inkább küldöttséget jelent. A muszlimok hiszik, hogy Isten (Allah) nem hagyta az ember életét vezetés nélkül. Az

ÉLETÜNKET MEGOSZTVA HARMADIK LECKE

első ember megteremtése óta Allah kinyilatkoztatta vezetését az emberiségnek a prófétáin keresztül. Azt a prófétát, aki könyvet kapott Istentől, küldöttnek (*raszúl*) nevezik. Minden próféta és hírvivő ugyanazzal az üzenettel jött: arra ösztökélték kortársaikat, hogy engedelmeskedjenek Allahnak és egyedül őt imádják, senki mást. Amikor a próféták tanításait az emberek eltorzították, Allah másik prófétát küldött, hogy visszavigye őket az egyenes útra. A *riszála* láncolata Ádámmal kezdődött, folytatódott Noéval, Ábrahámmal, Ismáellel, Izsákkal, Lóttal, Jákobbal, Józsefel, Mózessel, Dáviddal és Jézussal, illetve Mohameddel végződött. Mohamed Allah utolsó küldötte az emberiséghez. Allah kijelentett könyvei: a Tóra (*Taurat*), a Zsoltárok (*Zabúr*), az Evangélium (*Indzsil*) és a Korán. A Korán, amely Mohamednek lett kinyilatkoztatva, a vezetés utolsó könyve.

c *Ákhira*

Az *ákhira* halál utáni életet jelent. Az *ákhirá*ban való hit alapvető hatást gyakorol a muszlim életére. A muszlimok hiszik, hogy elszámoltathatók vagyunk Isten előtt az ítélet napján, és az alapján ítélnek meg bennünket, hogy hogyan éltük az életünket. Aki engedelmeskedett Istennek, és őt imádta, azt a Kertben (paradicsom) a boldogság helyével jutalmazza. Aki pedig nem, azt a Tűzre veti (gyehenna), ami a büntetés és szenvedés helye. Allah ismeri minden gondolatunkat és a legbelső szándékunkat, az angyalok pedig minden tettünket feljegyzik. Ha mindig szem előtt tartjuk, hogy a tetteink alapján meg leszünk ítélve, akkor meg fogjuk próbálni, hogy a tetteink biztosan Allah akarata szerintiek legyenek. A muszlimok hiszik, hogy a mai problémák közül sok eltűnne, ha ebben a tudatban élnénk, és eszerint cselekednénk.

5 **Alapvető vallási kötelezettségek az iszlámban**

Az iszlámban öt alapvető kötelezettség van, amit „az iszlám öt pillérének" neveznek. A muszlimok hiszik, hogy ha ezeket rendszeresen, helyesen és komolyan gyakorolják, akkor ezek úgy formálják át az életüket, hogy az megfeleljen a Teremtő kívánalmainak. Hűséges gyakorlásuknak arra kell inspirálniuk a muszlimot, hogy azon munkálkodjon, a

HARMADIK LECKE — ÉLETÜNKET MEGOSZTVA

társadalom egyre inkább az igazságon, az egyenlőségen és az igazságosságon alapuljon, és eltűnjön az igazságtalanság, a hazugság és a gonosz.

a   Saháda (Hitvallás)

A *saháda* a tudatos és akaratlagos kijelentése annak, hogy: *Lá iláha ill-Alláh, Muhammadur raszúl Alláh*, azaz „Nincs más Isten, csak Allah, és Mohamed Allah küldötte." Ez a hitvallás a *tauhíd* és a *riszála* két alapvető koncepcióját tartalmazza. Ez az alapja az iszlámban minden tettnek, és a másik négy pillér is erre a hitvallásra épül.

b   Szalát (kötelező ima)

A *szalátot* napi ötször végzik, közösségben vagy egyedül. Ez a hit gyakorlati kifejezése, ami a muszlimot állandó kapcsolatban tartja Teremtőjével. A muszlimok szerint a *szalát* előnyei messzire nyúlnak, sokáig tartanak és felmérhetetlenek. A *szalát* arra készíti fel a muszlimot, hogy a társadalomban az igazság, az egyenlőség és az igazságosság megalapozásán munkálkodjon, és eltűnjön az igazságtalanság, a hazugság, gonoszság és a szemérmetlenség. Önfegyelmet fejleszt, állhatatosságot és az igazságnak való engedelmességet, türelmet, őszinteséget és igazmondást eredményez az élet kapcsolataiban.

Az öt napi ima a következő: a *fadzsr* hajnalban, a *dzuhr* délben, az *aszr* délután, a *maghrib* naplementekor, az *isa* pedig este. A muszlimok hiszik, hogy a napi ötszöri ima nagyszerű lehetőséget nyújt arra, hogy valaki megújítsa az életét. Szellemi, erkölcsi és fizikai edzésrendszernek tekintik, ami a muszlimot arra készteti, hogy igazán engedelmeskedjen Teremtőjének.

c   Zakát (jóléti hozzájárulás)

A *zakát* a muszlim számára kötelező éves befizetés. Szó szerint „tisztulást" jelent, a muszlim birtokában levő készpénz, ékszer és a nemesfém értékének 2,5%-ának évenkénti befizetését. Külön arány érvényes az állatokra, növényekre és ásványi javakra. A *zakát* nem jótékonykodás

ÉLETÜNKET MEGOSZTVA HARMADIK LECKE

vagy adó: a jótékonykodás egyéni döntés kérdése, az adók pedig bármilyen társadalmi szükségletre fordíthatók. A *zakát* azonban csak a szegények, a szükséget szenvedők, a mozgássérültek, az elnyomottak, az adósok megsegítésére és más jóléti célokra költhető, úgy, amint azt a Korán és a *szunna* meghatározza. A *zakát* istentiszteleti cselekménynek számít. Az iszlám gazdaság egyik alapelvének tekintik, az igazságos társadalom biztosítékának, ahol mindenkinek joga van hozzájárulni és osztozni. A *zakát*ot azzal a tudatos hittel kell befizetni, hogy a javaink és a tulajdonunk Allahé, mi csak sáfárok vagyunk.

d   *Szaum (böjt)*

A *szaum* kötelező böjt az iszlám naptár kilencedik, Ramadán hónapjában. A muszlim hajnaltól naplementéig minden nap lemond az evésről, ivásról, dohányzásról és a házaséletről, csak Allah megelégedését keresve. A muszlimok szerint a *szaum* fejleszti a hívő erkölcsi és lelki szintjét, távol tartja az önzéstől, a kapzsiságtól, a különcségtől és más bűnöktől. A *szaum*ot évenkénti edzésprogramnak tartják, ami növeli a muszlim eltökéltségét, hogy teljesítse kötelezettségeit Teremtője és Fenntartója előtt.

e   *Haddzs (zarándoklat Allah házához)*

A *haddzs* évenkénti esemény, kötelező legalább egyszer az életben azoknak, akik képesek rá és megengedhetik maguknak a költségeket. Ez egy utazás Allah házához (Kaaba) Mekkában, Szaúd-Arábiában *Dzúl Hiddzsá* hónapjában, az iszlám naptár 12. hónapjában. A muszlimoknak a *haddzs* az emberiség egységét jelképezi: muszlimok minden fajból és nemzetből egyenlőségben és alázatban gyűlnek össze istentiszteletre. A muszlimok szerint a zarándoklat a rituális ruhában (*ihrám*) azt az egyedülálló érzést nyújtja, hogy a Teremtőjük jelenlétében vannak, akihez tartoznak, és akihez vissza kell térniük halálunk után.

HARMADIK LECKE ÉLETÜNKET MEGOSZTVA

6 A tekintély forrásai az iszlámban

A két legfontosabb tekintélyforrás, amely a muszlimok hitét és vallásgyakorlatát meghatározza, a Korán és a szunna. Az ezekre épülő különböző vallásjogi iskolák is kihatnak a muszlimok hitére és vallásgyakorlatára.

a A Korán

A Korán a muszlimok szent könyve. Azt hiszik, hogy az isteni vezetés utolsó könyve (Allahtól), Gábriel (*Dzsibráil* / *Dzsibríl*) arkangyal küldte le Mohamedhez. A muszlimok számára a Korán minden szava Allah szava. Több, mint 23 év alatt kapta arab nyelven, 114 része (*szúra*) és több, mint 6000 verse (*ája*) van. A muszlimok külön tanulják arabul szavalni, és sokan közülük kívülről megtanulják az egészet. A muszlimoktól azt várják, hogy a Koránt a legjobb tudásuk szerint megértsék, és a tanításalt átültessék a gyakorlatba. A muszlimok hiszik, hogy a Korán páratlan a feljegyzéseiben és a megőrzésében. Tanításai lefedik az élet minden területét és a halál utáni életet. Alapelveket, tanokat és az emberi cselekvés minden területére vonatkozó útmutatásokat tartalmaz. A Korán tartalmi szempontból három alapvető koncepciót tartalmaz: a *tauhíd*-ot, a *riszálá*-t és az *ákhirá*-t. A muszlimok szerint, az emberi lények sikeressége ezen a földön ebben az életben és az után attól függ, hogy mennyire hisznek a Korán tanításában és mennyire engedelmeskednek neki.

b A szunna

A *szunna* tkp. Mohamed példája. A *hadísz*-kötetekben található, amelyek az ő mondásainak, cselekedeteinek és az általa jóváhagyott cselekedeteknek a gyűjteményei. Azt mutatja meg, hogy a Korán útmutatását hogyan ültessük át a gyakorlatba. A muszlimok szerint a *hadíszokat* Mohamed halála után gondosan lejegyezték. Hat kiemelkedő gyűjtemény van: al-Bukhárí és Muszlim (ezek a leghitelesebbek), illetve at-Tirmidzí, Abú Dáúd, an-Naszáí és Ibn Mádzsa hagyományai. A *hadíszban* olyan témákat találunk, mint pl. az iszlám ima ideje és jellemzői, rituálék

ÉLETÜNKET MEGOSZTVA   HARMADIK LECKE

az ünnepek körül, hogyan üzleteljünk iszlám módra, az örökséget érintő kérdések, rendelkezések és végrendeletek, fogadalmak és eskük, hogyan kezeljük a hitehagyást stb.

c   Vallásjogi iskolák (saría)

A szunnita iszlám négy vallásjogi iskolát ismer el, amelyek meghatározzák a jogtudományt. Ezeket az iskolákat az alapítóikról nevezték el:
1) a Hanafí iskola (főleg a Balkánon, Törökországban, Közép-Ázsiában, Indiában, Pakisztánban, Bangladesben)
2) a Málikí iskola (főleg Észak-Afrikában)
3) a Sáfií iskola (főleg Jemenben, Egyiptomban, Szíriában, Dél-Kelet Ázsiában, Kelet-Afrikában)
4) a Hanbalí iskola (Szaúd-Arábiában)

Az iskolák közötti különbségek nem az iszlám hit alapvető kérdéseiben rejlenek, hanem az eltérő módszertanban és részletkérdésekben. A különbségek azon alapulnak, hogy milyen hangsúlyt fektetnek:

a) a Korán tanítására
b) a szunnára
c) a jogtudósok konszenzusára
d) a Mohamed életében történt helyzetekkel való analógiára
e) a józan észre

A *saría* arab szó, ami az üdvösség metaforájaként „öntözött hely"-re vagy „kúthoz vezető út"-ra utal. Ez az iszlám szokásrendszer kódja. A *saríá*t négy forrásból vezetik le:

a) a Koránban lefektetett szabályokból
b) Mohamed példájából a szunnában
c) a vallási tudósok közmegegyezéséből
d) az analógián alapuló, a Koránból és a szunnából származó jogi véleményből

A muszlimoknak eltér a véleményük arról, hogy ezeknek pontosan mi a jelentőségük. A modernistáknak, a tradicionalistáknak és a fundamen-

HARMADIK LECKE ÉLETÜNKET MEGOSZTVA

talistáknak különböző nézeteik vannak a saríáról, akárcsak az iszlám filozófia és tudomány különböző iskoláinak. A különböző országoknak és kultúráknak is változó magyarázataik vannak róla.

A saría vallási és civil jogi normákat egyaránt magába foglal. Foglalkozik a civil törvénykezés témakörével, mint amilyen a bűnözés, a politika és a gazdaság, de személyes dolgokat is érint, mint például a szexualitás, a higiénia, a diéta, az ima és a böjt. A tény, hogy jelenleg sok muszlim nem iszlám országban él, új helyzetet teremtett az iszlám törvényhozásnak. Az európai muszlim közösségek tudósai között viták folynak arról, hogyan harmonizálják a saría követeléseit az európai jogrendszerekkel.

7 Különböző csoportok az iszlámon belül

A muszlimok teljes létszáma világszerte kb. 1.5 milliárd. Az iszlámon belül különböző irányzatokat azonosíthatunk.

A legfontosabb csoportok a szunniták és a siíták. A muszlimok kb. 80%-a szunnita. A második legnagyobb csoport a síiták (kb. 15%). Síiták főleg Iránban és Irakban találhatók, de vannak sok más országban is. Fontos különbség a szunnita és a siíta iszlám között, hogy a siíták Alit, Mohamed vejét ismerik el az iszlám közösség törvényes politikai és vallási vezetőjének, illetve – illetve az ő leszármazottait, akiket imámként ismerünk. Sok síita hisz a tévedhetetlen imámokban, akiknek természetfeletti tudást tulajdonítanak. Várják a 12. imám visszatérését, aki Kr. u. 869-ben eltűnt, hogy felállítsa az iszlám uralmát a világban.

Ezen két nagy áramlaton belül sok más kisebb szekta és csoport van, mint például a kharidzsiták, murdzsiták, mutaziliták, iszmailiták és drúzok. Néhány csoportot a többi muszlim nem ismer el muszlimnak. Más csoportok, amelyeket felismerhetünk:

A   *Ahmadíjja Muszlim Közösség*

Az Ahmadíjja Muszlim Közösség (AMC) dinamikusan, gyorsan növekvő nemzetközi ébredési mozgalom az iszlámon belül (de több iszlám országban vitatják vagy tagadják, hogy igazi muszlimok – szaklektor megj.). AMC-t 1889-ben alapította Mirza Ghulam Ahmad (1835-1908),

ÉLETÜNKET MEGOSZTVA   HARMADIK LECKE

aki azt állította, hogy isteni kinyilatkoztatást kapott, és ő a régen várt Mahdi és Messiás. Azt állította, hogy ő a Názáreti Jézus képletes második eljövetele és az isteni vezető, akinek az eljövetelét Mohamed előre megmondta. Az AMC hiszi, hogy Isten Ahmadot küldte, mint Jézust, hogy véget vessen a vallási háborúknak, elítélje a vérontást és helyreállítsa az erkölcsöt, igazságosságot és békét. A követői szerint Ahmad megfosztotta az iszlámot a fanatikus hiedelmektől és gyakorlatoktól azáltal, hogy élénken támogatta az iszlám igazságát és alapvető tanításait. Az Ahmadíjja Muszlim Közösség elfogadja Zaratustra, Ábrahám, Mózes, Jézus, Krisna, Buddha, Konfucius, Lao-ce és Nának Guru tanításait, illetve hiszi, hogy tanításaik az egyetlen igaz iszlámban találkoznak össze. Az AMC, amelynek központja az Egyesült Királyságban van, azt állítja, hogy több tízmillió tagja van világszerte.

B *Bahá'í Közösség*

A bahá'í közösséget 1860-as években a mai Irán területén alapította Mirzá Huszajn Alí Núrí, aki felvette a Baháulláh („Isten dicsősége") nevet. Baháulláh alapvető tanítása az egységről szólt. Azt tanította, hogy egyetlen Isten van, egyetlen emberi faj, és a világ vallásai lépcsők Istennek az emberiségre vonatkozó akaratának és céljának kinyilatkoztatásában. A baháík hisznek Isten és az emberiség egységében, a nemek közötti egyenlőségben, a vallás és a tudomány közötti harmóniában és az igazság utáni független kutatásban. Mohamedet nem tekintik az utolsó és legnagyobb prófétának, hanem egynek a sok próféta közül. A Korán szerintük nem az utolsó kijelentés, hanem egy könyv a sok közül, beleértve Baháulláh írásait. Tagjainak számát kb. 7 millióra becsülik világszerte. A bahá'í közösséget a muszlimok hitehagyottnak tekintik, és néhány iszlám országban üldözik is.

C *A szalafí mozgalom (vahabizmus)*

A *szalafí* szunnita iszlám mozgalom, amely modellül veszi a korai iszlám vallási őseit (szalaf). A *szalaf* arab főnév jelentése „előd" vagy „ős". Az

HARMADIK LECKE   ÉLETÜNKET MEGOSZTVA

iszlám terminológiában általában a muszlimok első három generációjára utal. Erre a három generációra úgy néznek, mint mintára, akik megmutatták, hogy hogyan kell az iszlámot gyakorolni. A szalafizmus kifejezést gyakran felcserélik a vahabizmussal, mert Mohamed Ibn Abd al-Vahabot (1703-1787), tekintik a mozgalom megalapítójának, bár sok tagja állítja, hogy a mozgalmat maga Mohamed alapította. A szalafí mozgalom puritán hagyományokon alapszik. A Koránt szó szerint értelmezik, és mindent visszautasítanak, ami nem az iszlám eredeti forrásain alapszik. A mozgalomnak nagy befolyása van Szaúd-Arábiában, és megpróbálják a pénzüket arra használni, hogy a szalafizmus tanításait és befolyását terjesszék az egész világon.

D   A szúfí

A szúfizmus az iszlám misztikus áramlata. A koral Iszlámból származtatják. A tagokat *szúfí*knak hívják. A *szúfí* kifejezést az arab *szúf* („gyapjú") szóra vezetik vissza, ami azokra az egyszerű köpenyekre utal, amelyet a korai muszlim aszkéták viseltek. Más javaslat szerint a *szafá* („tisztaság") szóból ered, ami megmagyarázza, hogy a szúfizmus miért hangsúlyozza a szív és a lélek tisztaságát. Bár a szúfík hisznek a Koránban és a szunnában, több hangsúlyt fektetnek a belső életre, az Istennel való misztikus egyesülésre, mint a külső engedelmességre és a vallásos kötelezettségekre. A szúfizmus szerint a vallás alapja az Isten iránti szeretet. Istent önmagáért kell szeretnünk, nem jutalmakért vagy a büntetéstől való félelem miatt. Istent gyakran úgy szólítják, hogy „Örök Szerető". Sok szúfí keresi a misztikus egyesülést Istennel, vagy a vele való közvetlen kommunikációt a táncon, zenén, a Korán verseinek és iszlám költemények recitálásán keresztül, így próbálva elérni extatikus állapotot.

E   The Alevis

A 15 millió *aleví* (alevita) túlnyomórészt Törökországban található, de kisebb számban Szíriában, Iránban és Irakban is élnek. Nehéz abszolút

ÉLETÜNKET MEGOSZTVA   HARMADIK LECKE

kijelentéseket tenni a hitelveikről és gyakorlataikról, mert a magukat alevínek vallók a hitelvek és gyakorlatok széles skáláját mutatják. Sok hasonlóság van az alevík és a balkáni *bektasi*k között.

Az alevík Alinak, Mohamed unokaöccsének és sógorának a követői, és őt tekintik Mohamed utódjának. Sok aleví még azonosítja is Mohamedet és Alit, és erre a személyre a Mohamed Ali nevet használja (Allah megnyilvánulásainak tekintik őket – szaklektor megj.). Néhányan azt mondják, hogy az alevizmus az iszlám, a kereszténység, a judaizmus, a manicheizmus, a zoroasztianizmus, a sámánizus és a 20. századi humanizmus legjobb elemeinek keveréke. Majdnem minden aleví vallja, hogy Isten egy, aki örök örömmel jutalmazza meg azokat a mennyben, akik a földön követték a szabályait.

Az alevík a Koránt ezoterikusan, belső-módon vagy misztikusan magyarázzák. Számukra a Koránban sokkal mélyebb lelki igazságok vannak, mint a szigorú szabályok, amelyek a szó szerinti felszínen megjelennek. A könyveket leszámítva az alevík hit- és eszmevilágának legfontosabb forrásai a misztikus költemények és zenés balladák, amelyek generációról generációra szállnak, és amelyek közül sokat még le sem írtak. Ezek a költemények és balladák részei a dicsőítő összejöveteleknek, amelyeknek a során mélyebb kapcsolat kialakítására törekszenek az összejövetel lelki vezetőjével és Istennel. Az összejövetel főleg a vezető által mondott imából áll, amiben rövid vallási üzenetet közöl, balladákat énekel szólóban, és vezeti a közösséget az éneklésben. Másik kulcsfontosságú elem a rituális körtánc, amelyet kiválasztott férfiak és nők kisebb-nagyobb csoportjai adnak elő. Az istentiszteletet teljes mértékben törökül tartják, beleértve minden imát és éneklést.

Az alevík nem fogadják el azt a kemény arcvonású Istent, aki az alapján ítéli meg az embert, hogy hogyan teljesítette a vallási kötelezettségeit földi élete során. Az alevík nem gyakorolják a napi ötszöri imát, sem a Ramadán havi böjtöt. Ehelyett egy tizenkétnapos böjtöt tartanak a muszlim naptár első hónapjában. A Mekkába való ellátogatás sem aleví gyakorlat. Mindazonáltal az aleví és bektasí szentek sírjaihoz való zarándoklat és az ott való imádkozás elég gyakori. Az aleví nők együtt dicsőítenek a férfiakkal, és modern ruhákban járhatnak.

HARMADIK LECKE   ÉLETÜNKET MEGOSZTVA

F   Népi iszlám

Bár nem iszlám irányzat, nem hagyhatjuk figyelmen kívül az úgynevezett népi iszlámot. A muszlimok mindennapi életében az ortodox meggyőződések kéz a kézben járnak olyan gyakorlatokkal, amelyek valószínűleg az iszlám előtti időkből származnak. Például a születéssel, a pubertással, a házasságkötéssel, temetéssel kapcsolatos gyakorlatok tartoznak ide, de vannak olyanok is, amelyek a szerencsétlenség elleni védelemre irányulnak (a muszlimok néha az ún. „gonosz szem"-re utalnak). Ha egy nő meddő, néha olyan muszlim szenteknek a közbenjárását kéri, akik meghaltak. De az álmok, jóslások, áldások és átkok szintén fontos szerepet töltenek be sok hagyományos muszlim mindennapi életében.

8   Iszlám kultúra és szokások

Ha jó kapcsolatot akarunk kifejleszteni muszlimokkal, akkor fontos tudnunk néhány dolgot az iszlám kultúráról és szokásokról. Természetesen lehetetlen leírni az országunkban élő összes muszlim kultúráját és szokását. Sok különbség van és fontos, hogy a beszélgetéseken keresztül megismerjük a muszlim barátunk saját kulturális hátterét és szokásait. Itt adunk néhány kielégítő szempontot, amihez sok muszlim ragaszkodna.

A   Az iszlám naptár

Az iszlám naptár a Kr. u. 622-i évvel kezdődik. 12 holdhónapot tartalmaz. Az év 11 nappal rövidebb, mint a napév. Az ünnepek és a böjt hónapjának (Ramadán) kezdetét gyakran csak az utolsó pillanatban lehet megállapítani, mert a hold megjelenésétől függ. A Kr. u. 2015-es év 1436 AH (Anno Hegirae, a *hidzsra* éve, amikor Mohamed Mekkából Medinába menekült).

B   Iszlám ünnepek

A muszlimok azt állítják, hogy azért tartanak ünnepeket, hogy Isten (Allah) kedvében járjanak, nem a saját örömükre. Mindazáltal ezek a boldogság és az öröm alkalmai. A két legnagyobb ünnep az *Íd al-Fitr* és az *Íd al-Adhá*. Az *Íd al-Fitr* a Ramadán utáni első nap. Ezen a napon, egy

ÉLETÜNKET MEGOSZTVA   HARMADIK LECKE

hónapnyi böjt után a muszlimok együtt imádkoznak, lehetőleg nyílt téren. Kifejezik hálájukat Allahnak, hogy lehetővé tette számukra megtartani a böjtöt. Különleges ételeket készítenek. Meglátogatják a barátokat és a rokonokat. A gyerekeknek különleges foglalkozásokat szerveznek. Az *Íd al-Adhá* a 12. hónap (*Dzú al-Hiddzsá*) 10-én kezdődik és 13-ig tart. Ez az ünnep megemlékezik arról, hogy Ábrahám hajlandó volt feláldozni a fiát, Ismáelt. Ábrahám megmutatta készségét és ez Allahnak nagyon tetszett. Egy kost áldozott fel Ismáel helyett Allah parancsolatára. A muszlimok együtt imádkoznak ezen a napon, és olyan állatokat áldoznak fel, mint juhok, kecskék, tehenek és tevék. A feláldozott állat húsát szétosztják a rokonok, a szomszédok és a szegények között.

További ünnep a *Hidzsrá* (a próféta menekülése) a *Lajlat al-Mirádzs* (menybemenetel éjszakája) és az iszlám történelem jelentős csatáinak dátumai. Van egy különleges éjszaka Ramadán utolsó tíz napjában, amit *Lajjat al-Qadr*nak („a hatalom éjszakája") hívnak. A Korán szerint ez „jobb, mint ezer hónap" (ui. ekkor emlékeznek meg a Mohamednek adott első kinyilatkoztatásról – szaklektor megj.) A muszlimok az éjszakát imádkozással és a Korán recitálásával töltik.

C   *Diéta*

A muszlimokat a Korán arra bátorítja, hogy olyasmit egyenek, ami jó és tápláló a számukra, és vannak bizonyos tiltott ételek. Egy muszlimnak nem szabad ennie: (a) disznóhúst; (b) olyan állatot, amelyet nem „Allah nevében" vágtak le; (c) az állatok vérét; (d) ragadozó állatokat.

A hal és a növények megengedettek. Az iszlám törvény előírja, hogy az állatokat humánusan kell levágni, úgy, hogy egy éles késsel beleszúrnak a nyak belső, párnás részébe, és teljesen engedik kifolyni a vért. Allah nevét kell a levágás ideje alatt mondani. Minden alkohol tartalmú ital tiltott.

D   *Öltözködés*

A muszlimokat arra bátorítják, hogy szerényen és illően öltözködjenek. Nincs külön előírt ruházat. A követelmények: férfiaknak legalább a köldöktől a térdig való befedése; nőknek az arc és a kéz kivételével az

HARMADIK LECKE   ÉLETÜNKET MEGOSZTVA

egész test befedése. Néhány tudós szerint a nőknek a pubertáskor után az arcukat is be kell fedniük, ha elmennek otthonról, vagy idegennel találkoznak. Férfiaknak és nőknek egyaránt úgy kell öltözködniük, hogy ne keltsenek szexuális vágyat (pl. átlátszó, szűk vagy félmeztelen öltözet). Férfiaknak nem megengedett a tiszta selyem és az arany viselete. Férfiaknak nem szabad női ruhát hordaniuk és fordítva. Más vallások szimbolikus ruháinak viselése sem megengedett. Az egyszerűséget és a szerénységet bátorítják. A gőgöt kifejező ruhákat sem kedvelik. A ruházat stílusa a helyi szokásoktól és az éghajlattól függ.

> **Vitassátok meg:**
> 1. Van olyasmi, amit keresztények megtanulhatnának a muszlimoktól? Ha igen, mi?
> 2. Sorolj fel néhány hasonlóságot és különbséget a muszlimok és a keresztények között!

9 A muszlimok fő problémái a keresztényekkel és a keresztény hittel szemben

Amikor keresztények kapcsolatba kerülnek muszlimokkal, felfedezik, hogy a muszlimoknak számos dolgot nehéz megérteniük és elfogadniuk a keresztényekkel és a keresztény hittel kapcsolatban.

a   **A hitünk**

A muszlimok nem értik a Szentháromság eszméjét és meg vannak arról győződve, hogy a keresztények három istenben hisznek. Ahogy azt korábban láthattuk, a muszlimok erősen hangsúlyozzák, hogy csak egy Isten van, és ennek megsértését megbocsáthatatlan bűnnek tartják. Annak ellenére, hogy a muszlimok nagyon tisztelik Jézust, és elismerik fontos prófétának, nem értik, hogy a keresztények hogyan beszélhetnek Jézusról mint „az Isten Fiá"-ról. Azt gondolják, hogy amikor a keresztények ezt mondják, azt hiszik, hogy Isten szexuális kapcsolatot létesített Máriával, és Jézus ennek az eredménye. Ez a gondolat muszlim számára nagy bűn.

ÉLETÜNKET MEGOSZTVA HARMADIK LECKE

Mivel Isten mindenható, és Jézus egy a próféták közül, akit ő küldött a világba, a muszlimok nem értik, hogyan engedhette Isten, hogy ilyen szégyenletesen bánjanak vele, és kereszthalált kelljen halnia. A Korán azt állítja, hogy Isten felvitte Jézust a mennybe, épp mielőtt az emberek megpróbálták volna keresztre feszíteni, és valaki mást változtatott Jézushoz hasonlóvá, akit aztán keresztre feszítettek. Sok muszlim nem érti, hogy a keresztények hogyan hihetnek a Biblia tévedhetetlenségében, miközben különböző bibliafordításokat használnak, és nem tudnak magyarázatot adni a Bibliában levő látszólagos ellentétekre.

b *A történelmünk*

A középkorban keresztény hadseregek mentek a Szent Földre, hogy megtisztítsák a nem keresztény befolyástól. Közben emberek ezreit (köztük sok muszlimot) megöltek. A muszlimok ezt a hadjáratot néha a *dzsihád* („szent háború") keresztény változatának tekintik.

A 17. és a 20. század között számos keresztény ország (pl. Spanyolország, Portugália, Anglia, Franciaország és Hollandia) gyarmatosító hatalomként a világ egyes részeit uralta (ahol sok muszlim élt). Erőszak, rablás, hazugságok és kizsákmányolás jellemezte uralmukat. A muszlimok gyakran nem értik, hogy sok keresztény miért ad feltétel nélküli támogatást Izraelnek, aki néha erőszakot alkalmaz céljai elérése érdekében. Sok muszlim gondolja, hogy a nyugati világ (amelyet sokszor a kereszténységgel azonosítanak) gyakran úgy viselkedik, mintha kulturálisan, politikailag és gazdaságilag felsőbbrendűek lenne a világ többi részével szemben, és hiányzik belőlük a hajlandóság tanulni más kultúráktól és országoktól.

c *Az erkölcseink*

A nyugati világ sok muszlim szemében úgy viselkedik, mint egy rendőr, aki megpróbálja a világ másik részét a saját törvényei szerint irányítani, miközben vaknak tűnik a saját társadalmában folyó az erkölcsi hanyat-

HARMADIK LECKE — ÉLETÜNKET MEGOSZTVA

lást illetően. A skála pedig széles: a homoszexualitás elfogadása, a kábítószerek és a prostitúció legalizálása, az abortusz és az eutanázia, a családon belüli erőszak, a válások magas aránya, illetve az erkölcstelenség filmeken és a turizmuson keresztüli terjesztése.

Vitassátok meg:
1. Mi az első reakciód azzal kapcsolatban, ahogy a muszlimok látják a keresztényeket és a kereszténységet?
2. Hogyan válaszolhatunk ezekre az témákra?

Házi feladat:

Írj le két kérdést, amit feltennél annak a muszlimnak, akivel a következő lecke folyamán a mecsetben találkozni fogsz!

ÉLETÜNKET MEGOSZTVA NEGYEDIK LECKE

NEGYEDIK LECKE:
TALÁLKOZZUNK MUSZLIMOKKAL!

Cél: találkozzunk muszlimokkal és tegyünk fel nekik kérdéseket a hitükkel és a hitéletükkel kapcsolatban!

Megnéztük az iszlámhoz és a muszlimokhoz fűződő hozzáállásunkat, tanultunk a muszlimok hitének és életének néhány fontos aspektusáról, most eljött az idő, hogy találkozzunk muszlimokkal, és a hitükről kérdezzük őket. Megtanultuk, hogy a kegyelem hozzáállásának egyik jellemzője az, ha az iszlámot a muszlimok szemével nézzük, és tartózkodunk a muszlimok kifigurázásától. A legjobb módja annak, hogy megtudjuk, a muszlimok miben hisznek, mit gondolnak, és mit tesznek, ha közvetlenül őket kérdezzük. A mi tapasztalatunk az, hogy a muszlimok több mint készek arra, hogy keresztényekkel találkozzanak, a hitükről beszélgessenek, és meghallgassák azt, hogy a keresztények miben hisznek. Ezért a negyedik leckét arra szeretnénk felhasználni, hogy meglátogassunk egy helyi mecsetet, és ott muszlimokkal beszélgessünk.

Mecsetlátogatáskor az alábbiakat kell szem előtt tartani:

1. Szerény, konzervatív ruhát viselj, amely a testből a legkevesebbet engedi láttatni. Például shortok vagy ujjatlan pólók viselése nem ajánlott sem férfiaknál, sem nőknél. Nőknek legalább térdig érő szoknya, lehetőleg könyékig érő ujjú blúz és fejkendő ajánlott. Férfiaknak hosszú nadrág és hosszú ujjú ing. A nőket gyakran megkérik, hogy amíg a mecsetben tartózkodnak, fedjék be a fejüket. Hozhatod a vállkendődet, máskülönben biztosítanak egyet a számodra.

2. Általában a mecsetbe való belépéskor megkérnek, hogy vedd le a cipőd.

3. Készülj fel előre a kérdésekkel!

4. Legyél mindig udvarias és tiszteletteljes, akkor is, ha olyasmit látsz vagy hallasz, amivel egyáltalán nem értesz egyet, vagy ha

NEGYEDIK LECKE   ÉLETÜNKET MEGOSZTVA

át akarnak téríteni az iszlámra. Nagyon valószínű, a vendéglátóid az igazságot túl optimista módon fogják bemutatni, de vedd észre, hogy Te is ezt tennéd, ha egy csoport muszlim látogatna a gyülekezetedbe!

5. Amikor a keresztény hitről szóló kérdést próbálsz megválaszolni, próbálj meg a lehető legszemélyesebb módon reagálni! Például ahelyett, hogy azt mondanád: „A kereszténység úgy gondolja, hogy az ima nagyon fontos", elmagyarázhatod, Te személyesen hogyan imádkozol minden nap.

6. A látogatásunk célja nem az, hogy megtérítsük a muszlim vendéglátóinkat, hanem hogy tanuljunk tőlük. De ha lehetőséged nyílik arra, hogy tiszteletteljesen megoszd velük az Úr Jézus Krisztusba vetett hited, akkor mindenképpen élj vele.

Feladat a mecsetlátogatás utánra

1. Mi a legnagyobb dolog, amit a mecsetben való látogatásod során tanultál?
2. Olvasd el az ApCsel 10-et, és gondolkozz el Kornéliusz és Péter kapcsolatán! Hasonlítsd össze Kornéliuszt azokkal a muszlimokkal, akikkel találkoztál:
    a. Gondolod, hogy Isten meghallgatja a muszlimok imáját? Mit gondolsz: mi történik, amikor ők imádkoznak?
    b. Péter fontos dolgot tanult Kornéliusztól. Te mit tanultál azoktól a muszlimoktól, akikkel találkoztál?
    c. Mi az, ami a legjobban tetszik a muszlim hitben?
    d. Kornéliusznak csak egy látomásra volt szüksége ahhoz, hogy elkezdjen cselekedni. Péternek háromra. Láttál már más példát is arra, hogy keresztények kevésbé fogékonyak voltak Isten mondanivalójára, mint az egyházon kívüliek?

ÉLETÜNKET MEGOSZTVA   ÖTÖDIK LECKE

ÖTÖDIK LECKE:
TARTÓS KAPCSOLATOKAT ÉPÍTVE

Cél: tanuljuk meg, hogy hogyan lehetünk kapcsolati tanúbizonyságok a muszlimokkal való kapcsolatainkban!

Beszélgessetek a mecsetlátogatásról és az utólagos feladatokról!

Most, hogy megbeszéltük a muszlimokhoz és az iszlámhoz fűződő hozzáállásunkat, többet tanultunk a muszlinok hitéről és életéről és volt lehetőségünk találkozni muszlimokkal, itt az idő azon gondolkodni, hogy hogyan tudjuk megosztani az életünket muszlimokkal, és ebben a kontextusban hogyan tudunk nekik Jézus Krisztusról is beszélni. Ez lesz a tárgya a kurzus ötödik és egyben utolsó leckéjének.

A   Jézus megtestesülése: modell a számunkra

A Jn 1: 14-ben azt olvassuk, hogy „az Ige testté lett és közöttünk lakott". Ez Jézus megtestesülésére utal, ami a keresztények e világban végzett szolgálatára nézve az igazi minta. Jézus példáját kell követnünk. Egy szolga identitását vette fel, és egy közösség része lett (Fil 2: 5-8). Pál apostol az 1Kor 9:19-23-ban szintén példát mutat rá, hogy kész volt magát mindenki rabszolgájává tenni, hogy megnyerjen annyi embert, amennyi csak lehetséges. A thesszalonikaiaknak írt levelében erről a szolgálatáról így ír:

„Mivel így vonzódtunk hozzátok, készek voltunk odaadni nektek nem csak Isten evangéliumát, hanem a saját lelkünket is, mert annyira megszerettünk titeket." (1Thessz 2:8)

Ez a vers azt a módot tükrözi, ahogyan Pál apostol Tesszalonikában szolgált. Neki és a csapatának valódi szeretete volt azon emberek iránt, akikkel megosztották az evangéliumot. Nem csak az üzenetet adták át, hanem saját magukat adták oda.

ÖTÖDIK LECKE — ÉLETÜNKET MEGOSZTVA

„Az igazi misszionárius nem az, aki az üzenet átadására specializálódott, hanem olyasvalaki, akinek az egész lénye – amit teljesen odaszánt az üzenetnek, ami teljes odaszánást követel – üzenet a hallgatósága számára."[16]

Levelében Pál kilenc alkalommal használja a „tudjátok" kifejezést, utalva arra a tényre, hogy a thesszalonikaiak az életét közelről figyelhették.

Integrálnunk kell az igehirdetéstés a megtestesülést. A Bibliában Isten országa fontos fogalom. Isten mesterterve a megváltásra vonatkozóan az, hogy Isten saját magát dicsőítse meg azáltal, hogy mindent Krisztus alatt egyesít, és ez nem csak az emberek Istennel való kibékülését rejti magában, hanem mindazt foglalja egybe, „ami a mennyben ... és ami a földön van" (Ef 1:10). Ennek a kibékülésnek a végső beteljesedése Isten országában található, de ennek a jövőbeli országnak a pislákoló fényei a jelenben is láthatóak. Az egyház nem csak az ország evangéliumának hirdetésére hivatott (Máté 24:14), hanem az ország életének visszatükrözésére is (Mt 5-7) és hogy végrehajtsa az ország munkáját.

Amikor a fentieket alkalmazzuk a muszlimokkal való kapcsolatunkban, öt dolgot tanulhatunk:

a Az evangelizáció elsősorban életstílus, nem tevékenység; nem valami, amit teszünk, hanem valami, amik vagyunk.

b Az evangélium szóbeli továbbadásának egységben kell lennie az ember életével, és össze kell kapcsolódnia a szociális szükségekkel való foglalkozással, amelyek az Úrral való kapcsolat megtörésének a következményei.

c A hívő életének összhangban kell lennie az Ő üzenetének tartalmával.

---

[16] Ernest Best (ed): *Black's New Testament Commentaries – A Commentary on the First and Second Epistles to the Thessalonians* (Peabody, Massachusetts: Hendrickson Publishers, 1993), p. 102-103.

ÉLETÜNKET MEGOSZTVA   ÖTÖDIK LECKE

d   Annak érdekében, hogy a muszlimok pontosan megértsék Jézus Krisztust és a bibliai hitet, meg kell, hogy lássák annak kifejeződését annak az embernek az életében, akit ismernek, és akiben bíznak.

e   Azért, hogy a keresztények pontosan meg tudják testesíteni az evangélium igazságát a muszlimok életében, pontosan meg kell érteniük azt a szeretet és bizalom kapcsolatának az összefüggésében.

Ez azt jelenti, hogy szoros közelségre van szükség a muszlimok és a keresztények között.

> **Vitassátok meg:**
> a   Mi lenne, ha az országodban minden muszlimnak lenne egy keresztény barátja?
> b   Mit jelent az inkarnációs vagy kapcsolati tanúságtétel?

„Ami minket megkülönböztet, az nem egyszerűen az, amit hiszünk, hanem az, ahogyan a hitünk motivál minket, és kihat a viselkedésünkre. Ami megkülönbözet minket, az az, ahogyan a hitünk átformálja az életmódunkat... Ha ... nem tanuljuk bemutatni ezt a dinamikus és átformáló kapcsolatot a hitelveink és a magatartásunk között, nem vagyunk jobb helyzetben, mint bármely más vallás."[17]

Annak ellenére, hogy a keresztény hit különbözik az iszlám teológiától, a muszlimok nagy többsége csak akkor fogja észrevenni ezt a különbséget, ha ez kihat a viselkedésünkre.

Korábban már láthattuk ezen kurzus során, hogy Jónás teológiája nem hatott a viselkedésére. Lehet, hogy el tudott vitatkozni a kegyelem és a megbocsátás fogalmáról a ninivei emberekkel, de nem volt hajlandó ezt a kegyelmet az életén keresztül is bemutatni. Csupán a hitelveinkről való vitázás ritkán győz meg embereket, de ha mindezt gyakorlatba is

---

[17] Richard Sudworth: *Distinctly Welcoming* (NSW Australia: Scripture Union Australia, 2007), p. 48

ÖTÖDIK LECKE — ÉLETÜNKET MEGOSZTVA

átültetjük, az egészen más. Jézus többnyire nem vitatkozott kora vezetőivel Isten országának az érvényességéről; Ő azon volt, hogy bemutassa Isten országát, és elmagyarázza, hogy hogyan kell azt érteni és megélni. Nekünk is ugyanazt kell tennünk!

Az inkarnációs vagy kapcsolati tanúságtételt barátság-evangelizációnak is nevezik. Kapcsolat-központú, személyes megközelítésről van szó: ilyenkor nem egy csoporttal, hanem egy személlyel (vagy családdal) való kapcsolat felépítésén dolgozunk. A muszlimok előtti hitvallásunk ideális esetben a szeretetre, bizalomra és tiszteletre épülő viszony szerves része. Ilyen kapcsolat kifejesztése időbe kerül, és sokkal tovább megy az idegenekkel való egyszeri beszélgetésnél a keresztény hitről és az iszlámról. Többek között azt jelenti, hogy együtt csinálunk dolgokat, időt töltünk együtt, érdeklődést fejlesztünk ki egymás élete iránt, megosztjuk egymással az örömeinket és a bánatunkat, és jó barátokká válunk a szó teljes értelmében.

Azt jelenti, hogy az egész életed megosztod a másikkal, nem csak az evangéliumot.

Őszinte törődésünk és gondoskodásunk sok lehetőséget teremt a bibliai igazságok átadására. Nem elvont módon, személyes kapcsolat nélkül, hanem a mindennapi életünk részeként. Természetes és mindennapi helyzetekben éled meg a hitedet muszlim barátaid előtt úgy szóban, mint tettben. A beszélgetésekben eszmecserék lesznek, amikor kifejezheted a keresztény igazságokat, és imádkozhatsz a barátodért. De látni fogják azt is, hogy hogyan gyakorlod a hited (pl. ahogyan böjtölsz, a karácsonyt ünnepled, ahogyan a konfliktusokat vagy a pénzt kezeled, ahogyan a családodhoz viszonyulsz stb.). Muszlim barátaink az életünkben figyelhetik meg Jézus megváltó művét és hatalmát.

A legtöbb muszlim eljuthat az evangélium valódi értékelésére és az Úr iránti vágyra, ha a keresztény hitet élni látja egy igazi keresztény napi küzdelmeiben, ahogy nyíltan, alázatosan, hűségesen szolgálnak a közösségeikben.

ÉLETÜNKET MEGOSZTVA ÖTÖDIK LECKE

Néha konfrontáció is előfordulhat, amikor nehéz kérdéseket tesznek fel, de barátként tudjuk, hogyan kell a nézeteltéréseket a megfelelő módon kezelni. Az inkarnációs tanúságtétel költséges és fájdalmas lehet, ahogy azt Jézus szenvedésekkel teli életében, sőt halálában is láthatjuk.

Az, hogy milyen gyakran tudod megosztani másokkal az evangéliumot, nem programozható, de természetesen az olyan emberekkel való törődésed miatt, akik nem hallottak Krisztusról, imádkozni fogsz Isten segítségéért, hogy mikor beszélj, mikor hallgass, és hogyan legyél érzékeny a barátod szükségleteire és hitére. Ugyanakkor azt is megtanulod, hogy hogyan legyél még szókimondóbb a hiteddel kapcsolatban, és hogyan válj egyértelműbbé, amikor arra mutatsz rá, hogyan viszonyul Isten a döntéseidhez, a neki adott válaszaidhoz stb.

A Bibliában olvashatunk arról, hogy András Jézushoz hozza a testvérét, Pétert, és Fülöp Jézushoz vezeti a barátját, Nátánáelt. Az evangelizációt néha úgy írják le, hogy a barátainkat a legjobb barátunkhoz visszük: Jézushoz. Ha kapcsolatunkon belül teszünk tanúságot, mi is azt akarjuk, hogy a muszlim barátaink Jézussal találkozzanak, a legjobb barátunkkal, hogy ők is elismerjék Uruknak, és nekik is a barátai lehessenek.

> **Vitassátok meg:**
>
> 1 „Csupán a hitelvekről való vitatkozás ritkán győz meg embereket azok érvényességéről. Ha azokat tettekre váltva látják, az egészen más." Magyarázd meg, hogy miért értesz vagy nem értesz egyet ezzel az állítással!
> 2 Az 1Kor 9:19-23-ban Pál azt magyarázza, hogy magát mindenki szolgájává tette, hogy minél több embert megnyerjen. Hogyan alkalmazhatjuk ezt az elvet a muszlimokkal való kapcsolatainkban?

ÖTÖDIK LECKE ÉLETÜNKET MEGOSZTVA

B A muszlimokkal való természetes kapcsolódás a gyakorlatban

Jézus idejében a zsidók és a szamaritánusok ugyanabban az országban éltek, de azt olvassuk, hogy „a zsidók nem barátkoztak a samáriaiakkal" *(János 4:9)*. Ugyanezt elmondhatjuk a muszlimokról és a keresztényekről a mi országunkban, városunkban vagy utcánkban. Talán ez a tanfolyam felbátorított téged arra, hogy az életed elkezd megosztani egy muszlimmal. Felteheted azonban a kérdést: hogyan és hol kezdjem? Ezért szeretnénk neked néhány gyakorlati tanácsot adni, hogy hogyan kezdhetsz el kapcsolatot építeni a muszlimokkal:

1. Ajánlkozz önkéntesnek a helyi közösségedben, egy menekülttáborban vagy a bevándorlási hivatalnál!

2. Lépj kapcsolatba a helyi mecsettel vagy iszlám központtal, hogy elmehess az összejöveteleikre és megismerkedj velük! Kérdezd meg, hogy mit tehetnél értük, vagy hogy van-e olyan program, amiben Te vagy a gyülekezeted közösen munkálkodhattok! De meghívhatod őket egy összejövetelre a gyülekezetedbe is.

3. Muszlim szomszédaiddal együtt szervezhettek egy szórakoztató estét különböző kultúrákból származó étellel, ruházattal és zenével annak érdekében, hogy egymás kultúráját jobban megismerjétek.

4. Kérdezd meg a környezetedben élő muszlimokat, hogy van-e valamilyen imakérésük, és kezdj el imádkozni értük!

5. Tanulj meg alapvető köszöntéseket és kifejezéseket a saját nyelvükön (pl. arabul, törökül vagy bármilyen más nyelven, amit a muszlimok a te városodban beszélnek) és kezdd el üdvözölni őket az utcán!

6. Húsvét és karácsony táján készíts különleges ajándékokat, amiket odaadhatsz a környezetedben élő muszlimoknak, hogy együtt ünnepeljétek ezt az ünnepet!

ÉLETÜNKET MEGOSZTVA   ÖTÖDIK LECKE

7 Vedd igénybe a szolgáltatásaikat (pl. a marokkói pékséget vagy a török élelmiszerboltot, vagy muszlim fodrászt) és kezdj el beszélgetni az emberekkel!

8 Tudd meg, milyen különleges szociális szükségeik vannak a környezetedben élő muszlimoknak, és kezdd el felajánlani a segítségedet (pl. nyelvórák, sportolás, segítség a házi feladatoknál, varró vagy számítógépes órák stb.).

9 Vegyél részt olyan programokban, amelyeket a városodban muszlim emigránsoknak szerveznek!

10 Ülj melléjük a buszon vagy a metrón, és kezdj beszélgetni velük!

11 Keress alkalmat az együttműködésre a városod közösségi programjaiban!

12 Keress alkalmakat, amikor gyakorlati módon segíthetsz a muszlim szomszédodnak!

13 Látogass meg iszlám website-okat és chathelyiségeket és csetelj velük!

14 Csatlakozz hozzájuk, amikor együtt ülnek a helyi parkban!

Ez korántsem kimerítő lista, csak néhány példa, amit kiegészíthetsz sok mással. A lényeg megtalálni annak a módját, hogy természetes módon kapcsolatba kerülhess muszlimokkal a városodban, az utcádban, a háztömbödben vagy máshol.

C Tennivalók és tilalmak a muszlimokkal való kapcsolatban

Amint arra korábban rámutattunk, a leghatékonyabb keresztény tanúságtételek természetes módon fakadnak olyan helyzetekből, amelyekben keresztények és muszlimok összejönnek. Lehetetlen előre megtanulni, hogy mit tegyünk és mit mondjunk, hogyan válaszoljunk és viselkedjünk minden előforduló helyzetben. Mindazonáltal van néhány vezérelv:

ÖTÖDIK LECKE   ÉLETÜNKET MEGOSZTVA

i Légy tekintettel a nemek közötti különbségtételre! Pl. egy férfinak helytelen lehet kezet rázni egy nővel, vagy akkor látogatni meg egy otthont, amikor csak a nő van otthon.

ii A Bibliádat tisztelettel használd: ne huzigálj alá benne, ne ragassz rá matricát, ne tedd a földre!

iii Soha ne kínáld meg a muszlim barátodat disznóval vagy alkohollal! Komoly muszlimok csak ún. *hálál* húst esznek, amit muszlim vágott le az előírásoknak megfelelően, használva Allah nevét.

iv Imádkozz rendszeresen a muszlim barátodért/aidért! Ha akarod, megkérdezheted őket, hogy vannak-e különleges imakéréseik.

v Légy kész bármiről beszélni (nem csak vallásos témákról), és légy nyitott a hitedet illetően! Kapcsold össze a hitedet és a mindennapi életet!

vi Ne támadd az iszlámot, muszlim hitéleti elemeket és Mohamedet! Légy óvatos, amikor az iszlámot kritizálod! (Mt 7:1-2 és 3-5 Jézus arra tanít minket, hogy ne nézzük a szálkát a másik szemében, ha a gerendát nem vesszük észre a sajátunkban (Mt 7,1-5). Nem válsz attól fehérré, ha másokat befeketítesz.

vii Ne kezdj vitatkozni (vedd figyelembe Pál intését a 2Tim 2:23-24-ben a bolond és gyerekes vitatkozásokról)!

viii Ha nem értetek egyet valamiben, ne erőltesd a témát, hagyd nyitva az ajtót a következő alkalomra/látogatásra/beszélgetésre!

ix Tégy meg mindent annak érdekében, hogy tüntesd el az útból keresztény hittel kapcsolatos félreértéseket, és légy kész elismerni a hibákat és bűncselekményeket, amiket keresztények követtek el a múltban és a jelenben!

x Bibliai igazságok elmagyarázásakor használj történeteket, példákat és a személyes tanúságtételedet (ne csak a megtérésedről, hanem arról is, hogy Isten hogyan válaszolta meg az imádat, adott vigasztaló igeverset, vagy vezetett nemrégiben)! Inkább így fogalmazz: „Én abban hiszek..." vagy "Az én meggyőződésem az, hogy.." vagy „Én abban hiszek, hogy a Biblia azt tanítja,

ÉLETÜNKET MEGOSZTVA ÖTÖDIK LECKE

hogy..." az olyan általánosítások helyett mint például „A Biblia azt tanítja, hogy ...." vagy „A kereszténység abban hisz, hogy...".

xi Éld is, amit mondasz! Az evangelizáció legnehezebb és legjelentősebb része az, hogy példái és illusztrációi legyünk annak a szóbeli üzenetnek, amit megosztunk másokkal.

xii Légy önmagad! Ezt a legkönnyebb hosszú időn át fenntartani.

D Egy találkozás modellje

„És lőn, hogy harmadnapra megtalálták őt a templomban, a doktorok között ülve, amint őket hallgatta és kérdezgette őket. És mindnyájan, akik őt hallgatták, elálmélkodtak az ő értelmén és az ő feleletein." (Lk 2:46-47 Károli)

Arra lettünk elhívva, hogy a kapcsolatainkban olyanok legyünk, mint Krisztus. A fenti versek Lukács Jézusról szóló beszámolójából származnak, amikor 12 évesen a templomban volt. Colin Chapman ebben az epizódban jó modellt lát arra, hogyan találkozzunk valóban a muszlimokkal, és a következő öt részletre mutat rá[18]:

Közöttük ülve.

Jézus a tanítók között ült. Hogyan ülhetnek keresztények muszlimok között? Úgy, hogy meglátogatják őket az otthonaikban, társasági időt töltenek velük, meglátogatnak egy mecsetet, egy iszlám ifjúsági központot vagy tanulócsoportot. Azt kell keresnünk, hogy természetes módon kerüljünk velük kapcsolatba. Milyen sokat tudunk arról a közösségről, amelyhez tartoznak, vagy a kultúrájukról és a történelmükről? Tudjuk azt, hogy milyen dolog az ő helyzetükben lenni? Tudatában vagyok annak, hogyan reagálnak rám személy szerint?

Hallgatta.

Jézus hallgatta a tanítókat. Hogyan hallgathatnak keresztények muszlimokat? Úgy, hogy őszinte vágy él bennük megtudni, hogy mit gondolnak. Azáltal, hogy komolyan odafigyelnek, ők maguk hogyan fejezik ki a

---

[18] Colin Chapman, *Kereszt és félhold: válaszolva az iszlám kihívására* (Downers Grove, Il., USA:IVP Books, 2007), 24,25.

ÖTÖDIK LECKE   ÉLETÜNKET MEGOSZTVA

hitüket, ahelyett, hogy csak arra figyelnek oda, amit a média mond róluk. Ez azt jelenti, hogy tanulunk az ő világukról és hátterükről. Hogy megtanuljuk magunkat az ő helyzetükbe képzelni, és a világot az ő szemükkel látni. Azt jelenti, hogy megtanulunk nem csak a fülünkkel, hanem a szívünkkel is odafigyelni. A Biblia világossá teszi, hogy „aki meggyőződött az ügyről, az mindig beszélhet" (Péld 21:28).

Kérdezgette őket.
Jézus kérdéseket tett fel. Amikor megtettük az első két lépést, jobb helyzetben vagyunk ahhoz, hogy jó kérdéseket tegyünk fel anélkül, hogy kérdéseinkkel fenyegetést jelentenénk a muszlimoknak. Kezdhetjük alapvető kérdésekkel, de puhatolózóbb lehet az, ha a hitelveikről és állításaikról kérdezzük őket. Ne azért tegyünk fel kérdéseket, hogy zavarba hozzuk muszlim barátunkat, hanem azért, hogy elkezdjünk egy beszélgetést.

Értelmén.
A tanítók látták, hogy Jézus megértette őket. A kérdéseinkre kapott válaszok inkább elvezetnek bennünket annak jobb megértésére, hogy barátunk életében milyen szerepet tölt be az iszlám, mintha könyvet olvasnánk erről. A megértés képessé tesz bennünket arra is, hogy megkülönböztessük a legfontosabb témákat, és ne fussunk mellékvágányra gyümölcstelen beszélgetésekkel.

Feleletein.
Jézus felelt a tanítók kérdéseire. Amikor a muszlimok látják, hogy valóban megértettük őket, elkezdhetnek kérdéseket feltenni a mi hitünkről. Ha egyszer elértük azt a szintet, hogy képesek vagyunk felelni, akkor a muszlimok fejében levő valódi kérdéseket válaszoljuk meg, és nem olyan kérdéseket, amelyekről azt gondoljuk, hogy nekik azokat fel kellene tenniük. Ezen a szinten már jogunk van beszélni is.

Tennivaló:
Kérd az Urat, hogy hozzon kapcsolatba legalább egy muszlimmal, akivel jelentőségteljes kapcsolatot kezdhetsz kiépíteni azért, hogy bizonyság lehess az életükben!

ÉLETÜNKET MEGOSZTVA ÖTÖDIK LECKE

Konklúzió:

Az „Életünket megosztva" tanfolyam befejeződött. További információért és a következő lépésekért felveheted a kapcsolatot a kurzus szerzőivel: info@sharinglives.eu.

FÜGGELÉK

Források azok számára, akik még többet szeretnének tudni[19]

Egyre nagyobb számban jelennek meg jó könyvek és DVD-k, amelyek segítségével jobban megérthetjük muszlim barátainkat és életünket – és ebben a kontextusban a hitünket is – megoszthatjuk velük. Az alábbiakban álljon néhány példa.

Magyar orientalista és egyházi szakirodalom:

- Goldziher Ignác: *Előadások az iszlámról* (Katalizátor, 2008)
- Küng, Hans – Ess, Josef van: *Párbeszéd az iszlámról* (Palatinus, 1998)
- Lewis, Bernard: *Az iszlám válsága* (Európa, 2004)
- Lewis, Bernard – Churchill, Buntzie Ellis: *Iszlám – Nép és vallás* (HVG, 2009)
- Moszab Hasszán Juszef: *A Hamasz fia* (Immánuel, 2011)
- Németh Pál: *Az iszlám* (Gondolat, 2010)
- Simon Róbert: *Korán – A Korán világa* (Helikon, 1994)
- Simon Róbert: *Iszlám kulturális lexikon* (Corvina, 2009)
- Simon Róbert: *Az iszlám fundamentalizmus – Gyökerek és elágazások Mohamedtől az al-Qáidáig* (Corvina, 2014)
- Tibi, Bassam: *Kereszteshadjárat és dzsihád – Az iszlám és a keresztány világ* (Corvina, 2003)
- Troll, Christian W.: *Muszlimok kérdeznek, keresztények válaszolnak* (Jezsuita Könyvek, 2013)

---

[19] Ezeknek az anyagoknak az ajánlása nem jelenti azt, hogy az egész tartalmukkal egyetértünk.

ÉLETÜNKET MEGOSZTVA   FÜGGELÉK

- Watt, William Montgomerry: *Az iszlám rövid története* (Akkord, 2000)

Alapvető magyar nyelvű muszlim források:
- Al-Hashimi, Muhammad Ali: A muszlim személyisége a Korán és a Szunna megfogalmazása szerint (Mo-i Muszlimok Egyháza, 2007)
- Az iszlám vallásgyakorlatának rövid kézikönyve (Törökország, é.n.)
- Kiss Zsuzsanna Halima: *A Kegyes Korán értelmezése és magyarázata magyar nyelven* (Haníf, 2010)
- Lings, Martin: *Az iszlám prófétája* (Haníf, 2003)
- Shubhail, Mohamed Eisa: *An-Nawawi által gyűjtött negyven hadísz* (Mo-i Muszlimok Egyháza, 2008)
- Salamon András – Munif, Abdul Fattah: *Saria – Allah törvénye* (Könyvkalauz, 2003)
- Sayfo Omar: *Allah vendégei – Mekkai zarándoklat* (Geopen, 2009)
- Thahlawy, Mohammed: *A paradicsomba vezető út* (Iszlám Egyház, 2003)
- www.iszlam.com, www.mohamed.hu, www.magyariszlam.hu

Internetes keresztény szakirodalom idegen nyelven:
- www.sharinglives.eu
- www.answering-islam.org

Bert de Ruiter (ed.)

Engaging with Muslims in Europe

In Europe one finds Christian communities and Muslim communities living in close proximity to each other. Muslims and Christians pass each other in the streets, stand next to each other waiting for the bus or metro, live next to one another in streets, share apartment buildings with each other, study in the same universities, have their lunches in the same business canteens, shop in the same shopping centres. Nevertheless, they are essentially strangers to each other. Only a small minority of Churches and Christians in Europe are engaged with Muslims through meaningful and loving relationships which provide opportunities to witness to them about the truth of God.

The European Ministry to Muslims Network of the European Leadership Forum seeks to equip the Church in Europe to relate to Muslims with a compassionate heart, an informed mind, an involved hand and a witnessing tongue. In this book members of the network and others write about their engagement with Muslims in Europe.

Pb. • pp. 112 • £ 7.00 • € 8.00
ISBN 978-3-95776-025-8

VTR Publications • Gogolstr. 33 • 90475 Nürnberg • Germany
info@vtr-online.com • http://www.vtr-online.com

Bert de Ruiter

Sharing Lives
Overcoming Our Fear of Islam

This book argues that the single greatest hindrance to Christian witness amongst Muslims in Europe is fear.

Many European Christians fear that Europe will gradually turn into Eurabia, or Islamic domination of Europe, and they ignore the efforts of Muslims to adapt to the European context, a situation pointing to a future scenario of Euro-Islam, or Islam being Europeanized. The author argues that instead of an attitude of fear, which leads to exclusion, Christians should develop an attitude of grace, which leads to embrace.

After analyzing books and courses developed to help Christians relate to Muslims, he concludes that these mostly concentrate on providing information and skills, instead of dealing with one's attitude. Because of this the author developed a short course to help Christians overcome their fear of Islam and Muslims and to encourage Christians to share their lives with Muslims and to share the truth of the Gospel.

Pb. • pp. XIII + 209 • £ 13.95 • € 14.90
ISBN 978-3-941750-22-7

VTR Publications • Gogolstr. 33 • 90475 Nürnberg • Germany
info@vtr-online.com • http://www.vtr-online.com

www.ingramcontent.com/pod-product-compliance
Lightning Source LLC
Chambersburg PA
CBHW071743040426
42446CB00012B/2447